가람유사_은해사 I

가람유사
-은해사 I -

동국대학교
출판문화원

이 책은 문화체육관광부의 지원한국불교 스토리콘텐츠 크리에이트 허브 사업과 은해사의 도움으로 간행되었습니다.

{ 간행사刊行辭 }

과거를 가늠하는 방법은 다양합니다. 과거의 사람들이 사용하던 사물과 남겨놓은 기록, 그리고 과거의 사람들이 활동하던 공간 등 다양한 매개체를 통해 선대先代의 삶을 엿볼 수 있습니다. 그리고 그 삶에서 파생한 여러 가지 유형무형의 흔적들을 우리는 '문화文化'라고 일컫습니다.

한국의 문화 가운데 특히 불교문화佛敎文化는 역사적 의미를 가지고 있는 동시에 현재의 우리 삶에도 영향을 끼치고 있는 특수한 문화라고 할 수 있습니다. 우리가 무심코 사용하는 말과 글, 그리고 생각의 방식에 여전히 어우러져 있기 때문입니다. 한국불교는 1800년을 헤아리는 동안 민족의 종교로 기능해 왔습니다. 불교는 민족의 정신과 삶 속에 두루 녹여지고 동시에 민족의 삶은 불교의 정신을 담아 왔습니다. 이제는 어느 것이 불교의 것이고 어느 것이 본래 우리의 것인지 모를 정도로 조화롭게 민족의 전통을 이루고 있습니다.

고려 말의 일연一然스님은 일찍이 민족의 삶에 녹아든 불교와 불교가 바꾸어간 민족의 정신을 『삼국유사三國遺事』로 남겼습니다. 불교와 관련된 여러 가지 기록을 수집하여 특유의 시각으로 집대성하였습니다. '사史'가 아니라 '사事'라는 글자를 사용하여, 우리 역사에 있었던 특정한 사건과 그것에 얽힌 이야기를 통해서 당시의 세상사를 다양하게 읽는 실마리를 제공합니다. 역사학 전공자만 읽는 『삼국사기三國史記』와는 달리, 『삼국유사』가 최근 100여 년간 우리나라 사람들이 끊임없이 읽고 인용하고 활용하는 스테디셀러가 된 까닭입니다.

은해사 I **5**

『삼국유사』이후 스님과 사찰, 사찰의 중건기에 해당하는 내용 등 한 가지 주제나 한 사찰을 조사하고 집성한 자료들은 많습니다. 그렇지만 『삼국유사』와 같이 불교는 물론이고 우리 역사의 전반을 엿볼 수 있도록 총설하는 작업은 이뤄지지 못했습니다. 아마도 『삼국유사』의 맥락을 잇거나 보완하려는 후속 작업이 없었던 것은 방대한 자료와 수많은 조사 대상에 대한 조사인력의 부족 등이 원인일 것입니다. 다행스럽게도 동국대학교 불교사회문화연구원이 『삼국유사』를 잇는 후속 작업의 갈증을 부분적으로라도 해소하려는 노력을 시작했습니다. 문화체육관광부의 지원으로 진행되는 우리 대학 '한국불교 스토리콘텐츠 크리에이트 허브 사업'이 그것입니다. 그리고 두 번째 해의 성과물로 『가람유사伽藍遺事』은해사편을 간행합니다.

　『삼국유사』이후, 불교가 억압받던 조선시대 그리고 국권상실기를 포함한 근현대의 공간에서도 불교는 전통문화로서 우리의 삶에 많은 영향을 끼쳐 왔습니다. 일연스님께서 '꼭 남겨야 할 이야기'[遺事]가 절실했던 것처럼, 그 후의 우리나라 불교에도 '꼭 남겨야 할 이야기'[遺事]들이 있습니다. 『가람유사伽藍遺事』는 그 남겨야 할 이야기들을 모으고 새롭게 새기는 진력이 되리라 기대합니다.

　무엇보다 딱딱한 기록이 아니라 누구나 쉽게 읽고 접근할 수 있는 이야기의 형식을 선택했다는 점에서 편안합니다. 학자나 전문가들만이 접할 수 있었던

{ 간행사刊行辭 }

스님들과 사찰에 대한 기록을 조사하여 집성하고, 다시 이야기로 풀어쓰는 어려운 작업입니다. 모아서 그냥 남기는 것이 아니라 이야기로 풀어쓰는 어려운 과정을 전문학자들이 선택했습니다. 아마도 이 시대를 살아가는 사람들의 기억 속에 남기고자 하는 서원 때문이라 여겨지기에 더욱 반갑습니다.

『가람유사伽藍遺事』는 남겨야 할 가람의 이야기들을 담고 있습니다. 하지만 그 남겨야 할 이야기는 남겨지는 데서 그치지 않고 회자되고 재생산되어서 새로운 이야기가 되고, 새로운 이야기를 만드는 원천이 될 것입니다. 그 과정에서 불교는 다시 한번 우리 삶 속에 녹아들고, 우리 삶을 불교 이야기에 되비추어보는 선순환을 새롭게 시작할 것입니다.

『가람유사伽藍遺事』가 누구나 쉽게 접하는 불교, 자연스럽게 받아들일 수 있는 불교에 대한 서원을 담아 현대인들에게 전해질 수 있도록 진력해 주신 모든 분께 고마운 마음을 드립니다. 여기에 담아낸 한 줄 한 줄의 서원을 함께 성취하여 이 땅에 살아가는 모든 생명이 함께 어우러지는 이야기 세상을 만들어 가기를 바랍니다. 모든 삶에서 모두가 행복하고 평화롭기를 축원합니다.

불기2568(2024)년 3월

동국대학교 이사장 돈관 합장

프롤로그 하늘과 산천이 어우러져 부처의 바다를 세우다 _ 23

1. 하늘은 산에 내리고, 산은 땅을 보듬어 안고 _ 27
2. 뭇 삶을 지키려는 믿음으로 부처를 모시다 _ 34

제1장 중악中岳 공산公山에 새긴 자비의 서원, 해안사海眼寺

1. 약사여래부처님을 끌어안은 중악中岳 공산公山

   하늘이 노하고 땅이 성을 내다 _ 45

   공산에 약사부처님 나투시다 _ 52

2. '해안海眼'에 담은 서원

   민중의 아픔을 끌어안은 약사여래불과 해안사 _ 61

   젊은 혜철, 백성에 대한 자비심으로 해안사를 창건하다

   : 심신의 아픔을 딛고 보살도를 향하여 _ 69

{ 목차 目次 }

제2장 부처님 세계[佛世界海]가 펼쳐진 공산公山

1. 산 자에게 행복을, 죽은 자에게 왕생을
   정토왕생을 서원하다 _ 79
   서방정토를 향한 영험을 만나다 _ 82
2. 공산公山에서 움튼 정혜 결사
   지눌, 결사의 뜻을 품다 _ 85
   깨침을 얻은 지눌스님, 거조사로 향하다 _ 89
   지혜와 자비의 공동체를 추구한 『권수정혜결사문』 _ 93
3. 중생불국의 염원을 담은 공산公山
   구산선문 부흥의 낙처落處, 인각사 _ 97
   일연을 낳아 비로소 삼성三聖이 되다 _ 101
   삼성三聖의 꿈은 『삼국유사三國遺事』가 되고 _ 104

제3장 불은佛恩의 묘법해妙法海, 은해사銀海寺로 자리잡다

1. 왕실은 불은佛恩에 가피를 구하고
   : 인종 태실을 품고 공산본사公山本寺가 되다

   공산에 인종의 태실을 품다 _ 111
   불은佛恩에 가피加被를 구하다 _ 115
2. 해안海眼의 뜻을 이어받아 은해銀海로 나아가다 _ 117
3. 은해사, 왕실 수호로 재부흥을 이루다
   문정왕후가 은해사를 중건한 까닭 _ 123
   왕실이 수호하는 사찰, 은해사 _ 127

제4장 숭유억불崇儒抑佛을 넘어 화엄강학의 선찰禪刹로 우뚝서다

1. 운부암, 화엄강학華嚴講學의 시발점이 되다
   모운진언, 운부암에 짐을 풀다 _ 135
   왕실의 수호 아래 펼쳐진 화엄대법회 _ 139

{ 목차目次 }

2. 영파성규, 은해사에 화엄강학을 꽃피우다
　　화엄대강백, 은해사에서 화엄을 펼치다 _ 141
　　수행 매진의 모습을 삼대로 보여주다 _ 145
3. 숭유억불을 넘어 선찰禪刹의 향기를 품고 우뚝서다 _ 148

제5장 1200년 묘법해妙法海에 깃든 극락세계를 찾아서

1. 칠세七世부모의 극락왕생을 기원하다
　　'효孝'의 아이콘, 인종의 태실 _ 155
　　모란으로 아미타부처님께 접인시키다 _ 156
　　조선 사람들의 칠세七世부모를 마중 나온 아미타부처님 _ 157
　　현세와 내세 모두를 아우르는 극락세계 _ 159
2. 은해사 괘불탱화, 나라의 안녕을 소원하다
　　　　　　　　: 모란꽃비로 장엄한 부처님 세계 _ 161

3. 또 하나의 극락세계, 태실수호사찰 백흥암 _ 165
　　태실수호사찰로 중흥되다 _ 167

묵향이 서린 고요한 수행처 _ 171
조선 후기 극락세계 장엄을 보여주는 백흥암 극락전 _ 174
극락전에 피어난 수미단 장엄 이야기 _ 180
또 하나의 이야기, 수미단의 기린麒麟 _ 187

제6장 은해사가 품고 있는 암자 이야기 _ 197

1. 운부암, 묘법해를 일구었던 선지식들의 수행도량
   천하명당 조사도량 남 운부선원天下明堂 祖師道場 南 雲浮禪院 _ 201
   박규수가 운부암에 들른 인연담 _ 205
2. 우리네 모습이 담겨 있는 오백나한 도량, 거조사
   오백나한 조성과 중수 불사 _ 208
   백성의 고통을 끌어 안은 거조사 _ 217
3. 사바세계에 머물러도 마음은 극락, 기기암 _ 221
4. 영험한 수행도량이자 산신山神터, 묘봉암 _ 226

{ 목차目次 }

5. 바위틈 사이를 지나 중암암 이야기 속으로
   원효스님과 김유신의 수행·수련처 극락굴 _ 230
   부처님의 영험함이 나툰 건들바위와 삼인암 _ 232
   중암암의 자랑거리 해우소 _ 235
6. 상서로운 구름이 흐르는 서운암 _ 236

제7장 은해사 고승전

1. 경산삼성慶山三聖과 은해사
   해동의 부처, 원효스님 _ 241
   이두를 집대성한 유학자 설총 _ 244
   효심으로 왕을 설득한 일연一然스님 _ 246
2. 영파성규影波聖奎, 은해사에 화엄을 펼치다
   출가의 길을 걷다 _ 249
   선시禪詩의 대가 낙동洛東 문인 영파 _ 252

3. 운봉성수雲峰性粹, 은해사에서 출가 발심하여 근대 선지식이 되다
  은해사에서 출가 발심하여 선지식이 되기까지 _ 254
  운봉, 향곡에게 부촉하다 _ 258
4. 동곡당 일타東谷堂 日陀, 율도량을 꿈꾸다
  남다른 불연佛緣, 연비로 이어지다 _ 260
  은해사에서 율도량을 꿈꾸다 _ 262
5. 육문六文스님, 원력으로 비구니 전문 수행도량을 일구다
  일일부작 일일불식一日不作 一日不食의 삶 _ 267
  비구니 전문 수행도량을 일구다 _ 270
6. 성철스님과 향곡스님의 운부암 인연이야기 _ 272

제8장 은해사에 가야만 들을 수 있는 이야기

1. 은해사 향나무 전설이 품은 불교적 의미 _ 279
2. 흰쥐, 검은 쥐가 대웅전현. 극락보전으로 숨어든 이유 _ 283

3. 환성사 전설에 담긴 수월관水月觀의 의미 _ 288

참고문헌 _ 295

에필로그
시간, 공간 그리고 사람을 기억하다 _ 307

은해사 겨울전경

1 극락보전대웅전
2 보화루
3 설선당
4 단서각
5 산신각
6 심검당
7 종각
8 우향각
9 지장전
10 호연당
11 도선당
12 청풍당
13 성보박물관
14 요사
15 불이문
16 조사전
17 오층석탑
18 천왕문·금포정
19 묘봉암
20 중암암
21 인종 태실
22 운부암
23 백흥암
24 거조사

{ 은해사 가람 배치도 銀海寺 伽藍 配置圖 }

신라시대

651년
운부암 창건

654년
원효스님의
오도암 창건과 수행

고려시대

1188~1198년
거조사 1차 정혜결사

1270년
해안사 중창

1281년
인각사에서 구산문도회를 개최하다

조선~현대

1521년
인종 태실 설치

1546년
인종 태실가봉
은해사 중창

1788년
영파 성규스님
운부암에 들어오다

1849년
추사 김정희와 편액

{ 은해사 연표 銀海寺 年表 }

738~764년
거조사(암) 창건

809년
해안사 창건

873년
백흥암 창건

1289년
일연스님 인각사 입적

1298년
원참스님 『현행서방경』
저술 (거조사)

1375년
거조사 영산전 건립

1712년
금포정 조성

1750~1898년
은해사_아미타후불탱화, 삼장보살도, 구품회탱화 조성
백흥암_아미타후불탱화, 감로탱화, 극락구품도 조성

1940년
운부암에서
성철스님과 향곡스님의 만남

1981년
육문 백흥암의 중흥

1994년
은해사 중건
_율도량을 꿈꾸다

{ PROLOGUE }

하늘과 산천이 어우러져
부처의 바다를 세우다

一天白日露眞心
萬里淸風彈古琴
生死涅槃曾是夢
山高海闊不相侵

하늘의 밝은 해가 참 마음 드러내니
만 리의 맑은 바람 옛 거문고 타는구나
생사열반 이 모두가 오히려 꿈이러니
산은 높고 바다 넓어 서로 침범하지 않네

은해사 조사전祖師殿 | 글 _ 동곡일타스님 열반송

이 땅은 특별하다. 누리누리에 산이 가득하고, 산 굽이굽이를 따라 강과 천이 흐르고, 그 강과 천을 옆에 끼고서 들이 펼쳐진다. 그 산과 강과 천과 들을 하늘이 가득 덮었으니, 하늘과 산천이 어우러진 그 땅에 사람이 나고 자란다. 산천에 의지하고 산천이 만들어 낸 들판에 의지하여 삶을 일구니, 터전이다. 누리누리에 저마다의 터전이 들어서니, 그 터전을 가호하는 신들이 나리시고, 사람은 새 생명을 일구어낸다. 그 아득한 처음을 『제왕운기帝王韻紀』는 다음과 같이 기록한다.

"처음에 누가 나라를 세워 세상을 열었는가? 석제釋帝의 자손으로 이름은 단군檀君이라네. [본기本紀에 이르기를, '상제上帝 환인桓因에게 서자庶子가 있는데 혼-웅桓雄이라 하였다. 환인이 환웅에게 일러 말하기를, "땅으로 내려가 삼위태백三危太白에 이르면 인간을 널리 이롭게 할 수 있겠는가 [弘益人間]?"라고 하였으므로 환웅은 천부인天符印 3개를 받고 귀신 3,000명을 데리고 태백산太白山 꼭대기 신단수神檀樹 아래로 내려왔으니, 이분을 일러 단웅천왕檀雄天王이라 하였다.'라고 하였다. 손녀係女에게 약을 먹여 사람의 몸이 되게 하고 단수신檀樹神과 혼인하게 하여 남자 아이를 낳게 하니, 이름하여 단군이라 하였다. 조선의 영역에 자리잡고 왕이 되었다. 그리하여 시라尸羅, 고례高禮, 남북 옥저沃沮, 동북 부여夫餘, 예濊와 맥貊이 모두 단군의 후손이었다. 1,038년을 다스리다가 아사달阿斯達 산에 들어가서 산신이 되었으니, 이는 단군이 죽지 않은 까닭이다.] 요堯임금과 함께 무진년에 나라를 세워 순舜 임금 때를 지나 하夏나라 때까지 왕위에 계셨도다. 은殷나라 무정武丁 8년, 을미년에 아사달 산으로 들어가 산신이 되었네.'

『제왕운기帝王韻紀』 권하

『제왕운기』는 이 땅에 처음 내려온 하늘의 자손이 나라를 세워 처음이 되었다고 전한다.

하지만 어찌 그뿐일까? 이 땅 곳곳이 저마다 다르지 않았다. 처음 세운 나라의 자손들이 닿는 땅마다 하늘이 내리고, 산천이 어우러져 사람의 모습을 내었다. 하늘이 뭇 생명들에게 이로움을 베풀듯 산천도 더불어 뭇 생명의 의지처가 되니, 이르는 곳마다 사람의 터전이 일어섰다.

오늘 우리는 그러한 누리 중의 한 곳에 성큼 들어선다. 예부터 부악父岳 곧 아버지의 산으로 불리었고, 중악中岳 곧 이 땅의 중심으로 불리었던 그곳, 사람이 이루고 부처님이 나투신 성지이다.

1. 하늘은 산에 내리고, 산은 땅을 보듬어 안고

세상 어느 곳에 산이 없고 강이 없을까마는 이 땅의 산과 강은 특별하다. 하늘과 어우러지는 산이 둘러싸서 사람의 터전을 보호하고, 강이 둘러쳐서 사람의 삶을 일구었기 때문이다. 산은 강을 내고 강은 들을 가꾼다. 거기에 기대어 사람이 나고 자라는 것, 이 땅은 그것이 일상의 풍경이다. 산천에 사람이 스며들 때마다 산천은 사람을 보호하는 울타리가 되었다.

북으로부터 남쪽을 아우르는 큰 산줄기가 있어서 이 땅의 생명을 모두 아울러 품으니, 우리는 그것을 백두대간白頭大幹이라 부른다. 이 백두대간이 남으로 뻗어가는 중에 하나의 큰 가지를 내어 영남의 중부를 가로질러 한 지맥을 이루고, 그 지맥이 북쪽과 동서를 에워싸고 남으로 금호강의 여러 줄기를 안고 사람의 터전을 이루니 바로 영천永川이다. 그 북쪽은 보현산寶賢山, 1,124m을 주봉으로 하는 높은 산들이 막아선다. 동으로는 운주산雲柱山, 806m과 도덕산道德山 등이 경계를 이룬다. 서로는 북쪽부터 서쪽으로 길게 펼쳐진 팔공산이 영천의 여러 지역을 품 안에 아우르듯 하여 영천의 넓은 분지에 경계가 되고 있다.

일찍이 신라 조분助賁 이사금尼師今 7년236 2월, 소국인 골벌국骨伐國을 세우고 이 지역을 통치하던 아음부阿音夫가 신라의 통치에 복속하였다. 신라의 입장에서는 대단히 일찍 귀속한 지역이면서, 경주를 중심으로 하는 신라가 동쪽의 외부 세계로 나아가는 첫 번째 경계였기에 소중히 여김이 남달랐다고 『삼국사기』와 『삼국유사』는 기록하고 있다. 그 소중한 영토를 지키기 위해 지증智證 마립간麻立干 5년인 504년 9월에 이 지역에 골화성骨火城을 쌓아

이 지역을 지나는 육로와 금호강 수로를 지키고 외적을 방비하고자 하였다.

신라 왕경의 사람들에게 이 지역은 대단히 중요한 지역이었다. 북안천을 비롯하여 금호강으로 유입되는 여러 지류와 본류에 농경을 위한 제언堤堰, 곧 저수지가 왕경 서라벌 사람들과 지역민들의 참여로 축조되었다. 영천시 도남동 청못 밑에 세워진 청제비菁堤碑가 있다. 일조량은 많지만 강수량은 적은 곳이 영천이다. 때문에 오늘날에도 영천시는 전국에서 가장 많은 저수지가 있는 곳이고, 또 역사적으로도 가장 오래된 수리비水利碑인 청제비菁堤碑가 있는 곳이기도 하다. 청제비는 건립 연대가 6세기 초반으로 추정되는 수리비로, 신라의 왕들이 일찍부터 치수治水에 신경 쓰고 있음을 나타내는 한편, 영천이 왕경 서라벌에 접경하는 지역으로 대단히 중요하게 여겨졌음을 보여준다.

이 같은 중요성 때문인지 골화소국骨火小國의 수호신이었던 골화산신骨火山神이 일찍부터 신라를 대표하는 삼산三山의 산신이자 호국신으로 숭앙되고 있었다. 후대의 기록이기는 하지만『삼국사기三國史記』권 제32 「잡지雜志」 제사祭祀 조에는 다음과 같은 기사가 보인다.

> 삼산三山·오악五岳 이하의 명산과 대천을 나누어 대·중·소사로 삼았다.
> 대사大祀. 3산三山은 첫째 나력奈歷[습비부習比部], 둘째 골화骨火[절야화군 切也火郡], 셋째 혈례穴禮[대성군 大城郡]이다.
> 중사中祀. 5악은 동쪽의 토함산吐含山[대성군 大城郡], 남쪽의 지리산地理山[청주 菁州], 서쪽의 계룡산雞龍山[웅천주熊川州], 북쪽의 태백산太白山[나이군奈已郡], 중앙의 부악父岳[공산 公山 이라고도 하는데, 압독군 押督郡]이다.

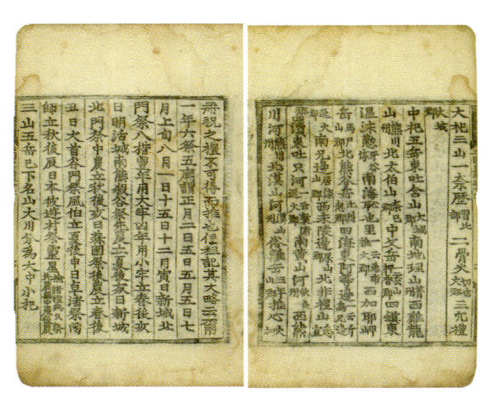

『삼국사기三國史記』 권 제32
「잡지雜志」편 제△祭祀 조
ⓒ서울대학고 규장각

    신라에 복속되기 전 영천 지역 골벌국 혹은 골화국이라고 불리던 작은 나라 사람들이 수호신으로 받들던 존재가 골화산의 산신 곧 골화산신이었다. 후대의 신라는 그 골화산신을 명산대천에 지내는 큰 제례의 대상 가운데 하나로 받아들이고 있다. 이어지는 중사中祀에도 지역의 큰 산악인 공산이 중악中岳이자 부악父岳으로 받들어지고 있다. 신라 서라벌의 왕경인들이 골화산신을 신라 삼산의 중요한 호국신으로 받아들이고 있었다는 것은 삼국통일의 주역으로 활약했던 김유신의 일화에서도 잘 드러난다.

        김유신의 나이가 18세가 되던 임신壬申년에 검술을 익혀 국선國仙이 되었다. 이때 백석白石이란 자가 있었는데 어느 곳으로부터 왔는지 알 수가 없었으나 낭도의 무리에 여러 해 동안 속해 있었다. 유신랑은 고구려와 백제를 치려는 일로써 밤낮으로 깊이 모의하고 있었다. 백석이 그 모의를 알고 동에게 말하였다.
        "제가 공과 함께 은밀히 저들의 나라에 들어가 던저 정탐을 한 연후에 그 일을 도모함이 어떻겠습니까?"

유신랑이 기뻐하며 친히 백석을 데리고 밤에 길을 떠났다.

바야흐로 고개 위에서 쉬고 있는데 두 여자가 유신랑을 따라 왔다. 골화천骨火川에 이르러 유숙하는데 또 한 여자가 홀연히 나타나 이르렀다. 유신랑이 세 여자와 즐겁게 이야기하고 있노라니 세 여자가 맛있는 과일을 유신랑에게 대접하였다. 유신랑이 그것을 받아먹으면서 마음을 서로 허락하고 즐겁게 담소하면서 자신의 상황을 이야기하였다. 여인들이 말하였다.

"공이 말씀하신 바는 이미 들어서 잘 알겠사오나, 원하건대 공이 백석을 떼어놓고 우리와 함께 수풀 속으로 들어가시면 그때 사실을 다시 말하겠습니다."

이에 그들과 함께 들어가니 낭자들이 문득 신으로 변하여 말하였다.

"우리들은 나림奈林·혈례穴禮·골화骨火 등 세 곳의 호국신입니다. 지금 적국의 사람이 유신랑을 유인하여 데리고 가는데 공은 알지 못하고 따라가고 있으므로 우리는 그것을 말리려 이곳에 온 것입니다."

여신들은 말을 마치고 나서 사라졌다. 공이 이 말을 듣고 놀라 엎어져 두 번 절하고 나왔다.

골화관骨火館에 숙박하였을 때 백석에게 말하였다. "지금 다른 나라에 가면서 긴요한 문서를 잊고 왔다. 청컨대 자네와 함께 집으로 돌아가서 가지고 오자." 마침내 함께 돌아와 집에 이르자 백석을 붙잡아 결박하고 사실을 물었다.

백석이 모든 것을 포기하고 답하였다.

[백석의 이야기]

저는 본시 고구려 사람입니다. 우리나라[고구려]의 여러 신하들은 이렇게 말하였습니다.

"신라의 유신은 바로 우리나라의 점쟁이[卜筮之士] 추남楸南이다. 나라의 경계에 거꾸로 흐르는 물이 있어서(혹은 숫컷과 암컷이 자주 바뀌는 일이라고도 한다) 왕이 그에게 이에 대한 점을 치게 하였습니다."

추남이 점을 치고 난 뒤에 말했습니다.

"대왕의 부인께서 음양의 도를 역행하였기 때문에 이러한 징조가 나타난 것입니다."

대왕이 놀라고 괴이하게 여겼으며 왕비도 몹시 노하여 이것은 필시 요사한 여우의 말이라고 주장하며 왕에게 말했습니다.

"다른 일로 그를 시험하여 말이 맞지 않으면 중형에 처하시는 것이 어떤지요?"

이에 쥐 한 마리를 함에 담아 두고 물었습니다.

"이것이 무슨 물건이냐?"

추남이 나와 답하였습니다.

"이것은 반드시 쥐인데 그 수가 여덟 마리입니다."

이에 말이 틀린다 하여 죄를 씌워 죽이려 하니, 추남이 억울해 하면서 맹세하여 말하였답니다.

"내가 죽은 후 대장이 되어 반드시 고구려를 멸망시키리라."

추남의 목을 베고 난 뒤, 쥐의 배를 갈라 그 안을 보니 새끼 일곱 마리가 있어 그제야 그의 말이 적중했음을 알았습니다.

그날 밤 대왕께서 꿈을 꾸었는데, 추남이 신라 서현공舒玄公의 부인 품으로 들어가는 것을 보았다고 합니다. 이에 다음 날 여러 신하들을 불러 물어보니 모두 다 한결같이 '추남이 맹세를 하고 죽더니 과연 그러합니다.'라고 하였습니다.

이에 고구려의 대왕과 신하들이 나를 보내어 여기에 와서 유신공을 도모케 하였습니다.

『삼국유사三國遺事』 권 제1 「기이紀異」편 김유신金庾信 조

김유신이 화랑이던 시절, 고구려는 그의 목숨을 노렸고 신라 삼산의 호국신들은 대업을 이룰 그의 목숨을 보호했다. 이 땅에 사는 사람들이 이 땅을 수호하는 하늘·땅·산천 그리고 그곳의 신과 함께였기에 이 땅은 특별한 곳이다. 신의 이 같은 보호에 감사를 표하고자 신라에서는 대사를 올렸다. 윗 이야기 속에 등장하는 나림奈林·혈례穴禮·골화骨火를 향해서 말이다. 그럼 세 여신이 머무는 나림·혈례·골화는 지금의 어디를 말하는 것일까?

신라 삼산의 산신과 여신

　그 세 곳의 산신은 신라가 대대로 대사大祀를 지내는 곳의 주인들이다. 나림奈林은 서라벌의 낭산으로 흔히 추정되고, 혈례穴禮는 지금의 청도군에 있는 오례산으로 지목된다. 마지막 골화骨火는 북안면北安面 일대, 그곳에서도 가장 가까운 금강성산金剛城山 즉, 현재의 영천시 완산동完山洞과 범어동汎魚洞 사이의 완산完山으로 비정된다.

고구려로 가고자 했던 김유신과 백석이 골화천骨火川을 거쳐 골화관骨火館에 숙박했던 것을 보면, 서라벌에서 고구려로 가는 왕경 주변의 교통 요지가 바로 영천이었음을 알 수 있다. 때문에 김유신이 삼국통일의 뜻을 이룰 수 있는 준비의 장으로 거듭날 수 있었다. 그리고 왕경에 가장 인접한 영천 지역을 대표하는 호국신이 바로 골화산의 산신이었다. 삼국통일이라는 대업의 주역인 김유신을 지킨 것이 바로 골화산의 산신이고, 그 산신이 신라 삼산의 대사大祀를 받는 존재였던 것이다. 독립국가였을 때는 소국에 불과했던 골화국의 수호신이 신라를 지키는 호국신으로 자리매김하고 있는 것은 왕경 서라벌 사람들에게 영천은 여러 의미에서 중요한 입지로 인식하고 있었음을 말해준다.

이 땅에 태어나고 살았던 이들은 하늘의 자손이 세상에 내려와 하늘의 뜻에 맞는 삶을 살도록 돕는다는 믿음을 지니고 있었다. 그 믿음에 따라 하늘은 산에 내리고, 그 산의 영역에 안긴 이들의 삶을 아울러 품은 뒤에는 다시 산으로 돌아가 산신이 되었다. 골화骨火의 땅에 내린 하늘은 골화산의 여신이 되었고, 다시 골화산의 여신은 신라를 지키는 삼산의 호국산신이 되어 그 땅과 그 땅 위에서 삶을 짓는 이들을 품었다.

2. 뭇 삶을 지키려는 믿음으로 부처를 모시다

　　법흥대왕은 부처님의 가르침을 받아들여 백성의 삶을 지키는 정치를 펼치고자 했다. 그 의지를 흥륜사 건립으로 드러내니, 이때가 신라 불교의 본격적인 시작이다. 대왕의 뜻을 이어 전륜성왕의 나라를 이루고자 했던 이가 있었으니, 바로 진흥대왕이다. 진흥대왕은 나라의 영토를 크게 넓

비로봉

혀 서쪽과 남쪽 그리고 북쪽으로 새로운 땅과 새로운 백성을 품었다.

영토가 넓어지고 백성이 늘어나면서 왕경 서라벌에서 각 지방으로 나아가는 길목이면서 근기近畿인 영천 지역은 더욱 중요해졌다. 그중에서도 공산公山은 영천의 서쪽에 버티고 서서 그 북쪽과 남쪽으로 길을 내어주고 있다. 공산의 북쪽을 끼고 나아가는 길은 새롭게 개척한 한강 유역에 이르는 길이었다. 이 길 끝에 있는 한강 유역은 고구려와 접경하고, 한강 하구에서 이어지는 바닷길은 중국으로 이어지는 통상로이기도 했다. 공산의 남쪽을 끼고 서쪽으로 나아가는 길은 대가야를 복속시키면서 자연스레 백제와 맞닥뜨리게 되는 국경에 이른다.

어느 쪽이든 양쪽의 길을 제압하고 있는 공산公山의 지리적 입지는 왕경 서라벌의 입장에서는 눈여겨볼 수밖에 없는 군사적·정치적·경제적 활주로였다. 이때쯤이었다. 공산이 신라 땅의 가운데 있어서 중악이 된 것은. 왕경에 인접한 관문을 제압하고 있으면서 영토의 가운데 위치한 신령스러운 산! 때로는 멀리서 신라의 넓은 땅을 아우르고, 때로는 가까이서 왕경의 들고나는 길목을 지키듯 서 있는 큰 산! 신라 사람들은 그 산을 가운데 산, 중악中岳이라고 일컫기 시작했다. 통일 직후 신문왕이 달구벌로 천도하고자 했던 것도 역시 이 가운데 산 중악이 품고 있는 대지의 효용성을 알았기 때문일 것이다.

비록 신라의 왕경이 옮겨오지는 못했지만, 신라 사람들은 중악 공산의 지리적 중요성을 간과하지 않았다. 그래서 나라의 명으로 오악을 정할 때, 그 중심에 있는 공산을 중악中岳 혹은 부악父岳이라 하여 산의 신령스러움을 받들었다. 나라에서 오악에 지내는 중사中祀의 으뜸에 부악 공산公山을 두었던 것이다. 공산의 동쪽은 공산에서 발원한 신녕천이 사정화현史丁火縣, 오늘날의 신녕현을 거쳐 남쪽으로 흘러 골화骨火, 오늘날의 영천시 시내 지역을 돌아 금호강으로 흘러든다. 공산의 남서 방면은 서쪽으로 흐르는 금호강을 경계로 산의 영역을 이루고 있다. 공산과 공산이 내놓은 물줄기의 흐름을 따라 크고 작은 평야들이 형성되었다. 자연이 만든 평야들은 사람들의 땀방울의 결실인 수리사업이 더해져 왕경 서라벌과 왕경 주변에 사는 이들에게 중요한 곡창의 노릇을 했다.

부악 공산이 중시된 것은 그 지리적 위치의 중요성과 생산성도 한 원인이 되었지만, 호국의 신령스러움이 부악 공산에서도 여러 차례 그 자취를 드러냈기 때문이기도 하다. 김유신과 관련한 또 다른 이야기 속에도 그 신령스러움이 묻어난다.

 김유신이 열일곱이 되었을 때였다. 막 화랑이 되어 낭도를 이끌게 되었는데 그가 이끄는 무리를 용화향도龍華香徒라고 하였다. 이 용화향도란 명칭에는 부처님의 가르침에 의지하여 이상세계를 꿈꾸며 그 이상을 실천하려는 굳은 의지가 담겨 있다. 아직은 어린 화랑이었지만 고구려와 백제 그리고 말갈이 나라의 영토를 자주 침범하여 백성과 나라를 괴롭히는 것을 보고 비분강개하여, 중악 공산의 석굴에 머물며 나라와 백성을 지킬 힘을 얻고자 했다. 이때 난승難勝이라고 자칭하는 거친 베옷을 입은 노인이 그의 앞에 나타나 기예를 전해주었다고 전한다.

 어떤 이들은 이 난승이라고 자칭한 노인을 공산의 산신이라고 하고, 어떤 이는 도승道僧이라고 하고, 어떤 이는 미륵의 사자라고 하고, 또 어떤 이는 하늘의 사자라고도 한다. 어느 쪽이라 단정지을 수는 없지만 중악 공산의 석굴에서 나라를 안정시킬 기예를 얻었으니 공산의 기연奇緣이라 할 만하다. 공산과 공산 동쪽 아래 산자락이 품고 있는 넓은 벌판은 진흥왕 이래 나라를 지킬 인재로 육성했던 화랑과 그 낭도들이 무예를 익히고 심신을 단련했던 수련장이기도 했다. 그 심신을 연마하던 터전이 바로 공산의 골짜기들과 공산의 동쪽 아래 펼쳐진 벌판이었으니, 없었던 신령함도 나투지 않을 수 없었을 것이다.

 난승難勝은 『화엄경華嚴經』에 나오는 보살의 지위를 일컫는 말이기도 하다. 보살이 성취하는 마지막의 열 단계 가운데 다섯 번째의 자리가 바로 난승지難勝地이다. 중생의 괴로움을 일으키는 온갖 욕망과 분별하는 마음으로부터 벗어나 사물의 이치를 올바르게 관조하는 자리에 있는 이가 바로 난승지의 보살이다. 비분강개한 어린 김유신을 위해 분노와 복수보다는 사물의 올바른 이치를 헤아려 보는 지혜를 일깨웠음을 의미하는 이름이기도 하다. 하늘이 하늘 아래 자라난 산천의 생명 하나하나를 어디 하나라도 외면할 것이며, 부처가 고통받는 중생들의 아픔을 보듬어 안음에 어디 한 중생이라도 외면할 것인가! 중악 석굴에서 만난 이가 하늘의 사자이든 공산의 산신이든 혹은 덕 높은 도승道僧이든, 세상을 평화롭게 만들고자 하는 이에게 욕심보다 앞에 서야 하는 것은 삶의 본질을 꿰뚫어 보는 지혜요 서원일 것이다. 대업을 꿈꾼 어린 김유신에게 그런 지혜 그런 서원을 아로새긴 것이 바로 가운데 산인 부악 공산의 신령스러움이다.

김유신이 삼국통일의 대업 일선에서 맹활약하던 시절, 공산을 찾은 또 다른 수행자가 있었다. 바로 원효스님이다. 서라벌을 중심으로 신라 땅 사방의 백성들에게 부처님의 이름을 각인시켰던 당사자이다. 스스로를 이 땅에 펼치는 불교의 첫 새벽이라 불렀던 원효스님은 공산을 멀리 바라보는 자인 땅의 사라娑羅 밤나무골에서 태어났다.

왕경 서라벌에서 부처님의 가르침을 배웠던 스님은 늘 당나라에 유학하여 새로운 불교를 배우겠다는 열망이 있었다. 부처님의 가르침이 가진 본래 뜻을 펼쳐서 이 땅에서 살아가는 중생들의 괴로움을 덜어주려는 의지에서 비롯된 열망이었다. 하지만 유학을 가려 했던 스님의 꿈은 끝내 이루어지지 않았다. 아니 스스로 이루지 않았다. 유학을 가던 중에 '마음 바깥에서 더 구할 것이 없으며, 모든 것이 마음 씀의 문제'라는 깨달음을 얻었기 때문이다. 유학해야 할 이유가 사라졌던 것이다.

이후 스님은 왕경과 사방을 돌아다니며 백성들에게 부처님의 명호와 가르침을 전하는데 밤낮이 없었다. 스님의 활동은 고향 땅 바로 옆에 있는 공산과 공산이 품고 있는 지역에도 오랜 기억으로 남겨졌다. 스님은 유학길을 그만두고 돌아온 후 공산을 수행처로 삼았다. 그 수행의 처소가 오늘날에도 전하는 비로봉 동쪽 기슭 청운대 절벽 한가운데 있는 원효굴이다. 원효스님은 여기에서 6년의 수행을 더해 깨달음의 경계를 더욱 넓혔다고 전한다. 그리고 그 깨달음의 성소 바로 아래 절이 세워지니, 오도암悟道庵이 그곳이다.

원효굴

　세간에는 원효굴에 솟는 물이 화랑 시절의 김유신이 중악 석굴에서 나라의 앞날을 걱정하며 마셨던 그 물이라고도 전한다. 안팎에서 앞뒤로 한 시대를 이끌었던 두 인물이 중악 공산의 한 자락에서 인연이 닿았으니, 이 또한 공산이 낳은 신령스러움일 것이다.

　그런 공산의 신령스러움에 맞닿았던 때문일까? 공산의 골짜기 골짜기에 하나둘 절이 들어섰다. 하지만 공산에 의지하여 수행한 스님들의 인연만 있을 뿐 공산을 대표하는 사찰은 존재하지 않았다. 하늘이 산에 내리고, 그 산이 신령스러움을 더하면서 일찍부터 중사中祀의 대상으로 숭앙되었기 때문일지도 모른다.

　통일 후 100여 년, 신라의 왕경 서라벌은 그 흥성함을 그칠 줄 몰랐다. 그리고 그 흥성함이 지나쳤기 때문인지 신라의 땅 여기저기에서 환란이 일어났다. 지진과 가뭄 그리고 홍수가 그치지 않는 세월이 이어졌다. 지진과 가뭄 그리고 다시 홍수로 이어지는 재해는 백성들의 삶을 피폐하게 만들었다. 굶주리는 백성이 사방 전국에 가득했고, 혹독한 굶주림으로 약해진 몸은 전염병 같은 병고病苦로 이어졌다. 지치고 병든 백성들의 마음은 왕실에 대한 원성을 싹틔웠다.

오도암

　백성들의 고통을 달래고 싶었던 왕은 그 간절함을 부처님의 가피에 기대었다. 나라 전체를 아우르는 병고와 백성의 피폐한 삶을 조금이라도 덜어주고 싶은 원력을 거기에 더했다. 나라 전체를 아우르는 성지 중악 공산에 백성들의 간절함을 호소하는 염원을 채워 위로하고자 했다. 공산대왕을 제사 지내던 비로봉 옆 동봉과 서봉에 차례로 약사여래 부처님을 조성하여 모셨다. 백성들을 삶을 괴롭히는 병고로부터 벗어나게 하려는 염원을 약사여래 부처님의 본원에 의지하여 기원한 것이다.
　왕실의 지원 아래 산 아래 좋은 자리를 골라 축리소祝釐所를 세우니, 하늘과 부처님에게 그 가피를 구하는 원력을 일으키는 성소聖所로 거듭나게 되었다. 공산의 동쪽 산록을 지나 전국에 이르는 교통로를 내려다보는 그곳에 성소를 지어 부처님의 가피가 전 국토에 이르기 바라는 마음을 담았다. 젊은 승려 혜철이 성소의 건립부터 원력을 모으기에 앞장서니, 공산의 본찰 해안사海眼寺가 여기에서 시작되었다.

　부처의 마음과 하늘의 마음은 한 치라도 다름이 없다. 중생의 괴로움을 벗기고자 하는 서원이 간절하여 부처 바다의 토대가 세워졌다. 세월의 흐름을 따라 간절함에 간절함이 더해져 마침내 부처의 바다 한가운데 공산이 있게 되었다.

제1장
중악中岳 공산公山에 새긴
자비의 서원, 해안사海眼寺

願諸天龍八部衆
爲我擁護不離身
於諸難處無諸難
如是大願能成就

바라옵건데 팔부중의 모든 신들은
나를 위하여 떠나지 말고 지켜주소서
어떤 어려움에 처해도 모든 재앙도 없게
이와 같이 큰 뜻이 이루어지게 하소서

은해사 호연당浩然堂 | 글 _ 나옹스님 발원문

1. 약사여래부처님을 끌어안은 중악中岳 공산公山

하늘이 노하고 땅이 성을 내다

하늘은 우리를 버리시는가

    어린 왕이 새로이 왕위에 오르고 나라는 매우 시끄러워지기 시작했다. 하늘에 2가의 태양이 솟아오르니 스님들이 도솔가兜率歌를 읊어 하늘을 달래야만 했고 땅에는 다리가 5개인 송아지가 태어나는 해괴한 일들이 벌어졌다.

    매년 가뭄이 들었으며 수시로 지진이 일어나 민가가 무너지고 사람들이 죽어가니 나라의 혼란이 극에 달했다. 자연재해로 벌어진 혼란 속에서 왕실은 어떻게든 대책을 만들고자 동분서주했다. 이러한 와중에 하늘에는 금성이 달에 들어 보이지 않는 상서롭지 않은 일이 발생하자 왕은 백고좌법회를 통해 국가의 안녕을 기원하고자 했다. 그러나 왕이 될 자[금성]가 왕답지 못한 자[달]에게 가려진 것이며 이것이 하늘의 뜻이라고 여긴 김지정金志貞이 난을 일으켰다. 이 해에 태풍이 크게 불어 도심지가 물로 갈라질 정도의 피해가 발생하고 능토는 물에 잠기어 백성들은 큰 고통을 받았으며 지진이나 이상기후 등의 천재지변이 계속 신라 땅을 뒤흔들었다.

    어떤 해는 날씨가 매우 추워서 음력 10월에 소나무와 대나무가 모두 한파에 얼어 죽었고, 다른 해는 여름이 한창인 8월 15일에 눈이 내렸다. 왕이 바뀌든 바뀌지 않든 상관없이 계속된 지진과 이상기후로 백성의 삶은 궁핍해졌다. 이러한 자연재해는 시작이 언제였는지 기억되지 않을 만큼 끊임없이 계속되었다. 가뭄을 대비해 저수지마다 물을 저장한 뒤에는 갑작스럽게 폭우가 쏟아지는 날들이 이어졌으며, 겨울의 매서운 날씨는 예년과는 달라 집집마다 감기를 달지 않은 이가 없을 지경까지 이르렀다. 나라는 그야말로 지금까지 볼 수 없었던 환란이었다.

천재지변으로 궁핍했던 백성들

하늘도 돕지 않는 이러한 천재지변의 연속으로 백성들은 밥 한 끼를 구하기 힘들었으며, 가족을 잃거나 집을 잃었고 몸에 두를 옷 한 벌도 구하기 힘들었다. 이렇게 힘든 시기에 전염병까지 온 국토에 번져 나가니 새벽이면 마을마다 시신을 태운 검은 연기가 올라왔다. 이 모습은 오늘날의 코비드19로 인한 전염병과 기후변화로 인한 자연재해와 닮아 있다.

30여 년간의 자연재해와 전염병으로 지친 민심을 다독이는 것은 왕실이 펼치고자 하는 모든 일의 우선이 되었으며 어떠한 방법이든 대책을 만들어야만 했다. 새롭게 왕위에 오른 헌덕왕과 대신들은 국가에 큰일이 있을 때마다 왕실이 국태민안을 기원하기 위해 중악에 올라 산천에 제를 올렸던 것을 떠올렸다. 이에 '왕이 직접 중악에 행차하여 산천초목에 기원 올림이 어떻겠는가.'라는 의견이 신하들에 의해 건의되었다. 하늘의 노함에 사죄하고 땅이 안정될 수 있다면 무엇이든 하겠다는 강한 의지가 있었던 헌덕왕은 중악에 관심을 기울이기 시작하였다.

왕좌를 놓고 벌어진 변화의 바람

혜공왕의 실정에 왕의 측근이었던 김지정이 난을 일으켰으나 실패로 끝났다. 이를 수습하는 과정에서 김양상金良相과 김경신金敬信이 군사를 일으켜 왕을 시해하였고 김양상이 새로운 왕으로 즉위하였다. 이 왕이 신라 37대 선덕왕이며 이후로 30여 년 동안 왕이 다섯 번 바뀌는 혼탁한 세상이 이어졌다.

당시 신라왕의 계보도

선덕왕이 왕위에 오르고 5년 만에 죽었으나 왕에게는 왕위를 물려줄 아들이 없었다. 이에 신하들은 회의를 통해 왕의 조카이자 태종무열왕太宗武烈王의 후손인 김주원金周元을 왕으로 삼고자 결의하였고 그를 궁궐로 맞아들이려고 하였다. 김주원의 집은 궁궐에서 북쪽으로 20리나 떨어져 있어 궁궐로 가려면 알천閼川을 건너야만 했다. 그러나 때마침 불어온 폭풍우에 알천의 물이 급격히 불어나 궁궐로 가는 길목을 막는 바람에 그는 궁궐로 들어갈 수가 없었다. 일이 복잡해져 가고 있는 이때 대신 중 한 명이 일어나 주장하였다.

"왕은 큰 자리라 진실로 사람이 도모할 수 있는 것이 아니다. 오늘 갑자기 비가 쏟아진 것은 하늘이 혹시 주원을 왕으로 세우고 싶지 않기 때문이 아닐까? 지금 상대등 경신은 전왕의 동생으로 평소 덕망이 높고 왕의 자질이 있다."

상황이 복잡해진 틈을 이용해 김경신이 먼저 궁궐로 들어가 왕성을 장악하고 왕위에 오르니 그가 바로 신라 38대 왕인 원성왕이다. 왕위에 오르기 전, 권력의 최고 위치에 있던 김경신은 천관사 우물로 들어가는 꿈을 꾼 뒤 북천에 머무르고 있다는 신에게 제사를 지냈고, 결국 북천신의 도움으로 왕위에 올랐다는 이야기도 전해진다.

이렇듯 폭우로 인하여 왕위에 오른 원성왕이 10여 년의 통치를 끝으로 손자인 소성왕에게 왕위를 물려주었으나, 그의 손자 소성왕은 2년 후 4월에 발생한 폭풍과 폭우를 수습하지 못하고 죽음에 이른다. 할아버지는 물로 성하였고 손자는 물로 인해 죽음을 맞으니 이는 실로 역사의 아이러니가 아닐 수 없었다. 소성왕이 죽자 그의 맏아들인 청명淸明이 13세의 나이에 왕위를 물려받으니 이가 바로 신라 40대 왕인 애장왕이다. 어린 왕을 세운 왕실은 그의 숙부인 김언승金彦昇을 섭정攝政의 자리에 올렸다. 섭정은 왕조 국가에서 군주의 나이가 어리거나 유고시有故時에 정사를 대신 처리하는 자리를 말하며 일종의 대리청정이었다.

어린 왕을 대신하여 섭정하다

　섭정! 예나 지금이나 어린 왕을 향한 애잔함이 떠오르는 것이 매한가지인가? 애장왕이 왕위에 등극한 다음 해 5월에 일어난 일식 현상을 역사서에서는 '해가 먹혀야 했으나 먹히지 않았다.日當食不食'라는 말로 표현하고 있다. 숙부인 김언승에게 먹히지 않는 어린 왕이길, 그래서 좀 더 나은 삶이 되기를 바라던 민심의 기대가 글로 표현되었음이리라. 그러나 믿음을 줄 수 있는 하나뿐인 존재인 왕비가 병이 나도 숙부에게 섭정을 당하는 어린 애장왕은 왕비를 위해 할 수 있는 일은 아무것도 없었으니, 하물며 백성들의 고통을 품어 안을 수 있었을까.

　답답함을 품고 살던 시간이 흐르고 흘러 드디어 숙부의 섭정에서 벗어난 애장왕은 정치개혁을 비롯해 활발한 외교활동도 시도했다. 그러나 6년 동안 섭정을 한 숙부 김언승의 권력이 쉽게 무너질리 없었다. 김언승은 오히려

정권을 잡기 위한 다툼을 유지하며 민심이 애장왕에게서 멀어지도록 기반을 마련했다. 나라를 돌보지 않는 왕, 권력에만 눈이 먼 왕, 민심을 돌보지 않는 왕이라는 시선을 만들어 갔다. 민심이 흉흉해졌으며 각박한 삶에 고통받던 백성들은 권력이 누구에게 있는지 알지도 못했고, 알고 싶지도 않았다. 다만 왕이 나라를 돌보지 않는다는 원망의 화살만이 애장왕에게 향하고 있었다.

민심은 점점 왕의 곁을 떠나갔고 일어나지도 않은 일식이 일어났다는 소문마저 돌기 시작하였다. 어린 애장왕을 응원할 때는 일식이 있어도 없는 듯 치부하더니 이제는 왕을 향한 원망의 화살은 오롯이 애장왕에게 향하였다. 숙부인 김언승은 이러한 민심을 등에 업고 809년 7월, 조카인 애장왕을 시해하고 왕위에 올랐다.

원성왕의 꿈이야기

이찬 김주원伊飡 金周元은 처음 상재上宰가 되고 김경신金敬信은 각간으로 두 번째 재상이 되었는데 어느 한날 꿈에 복두幞頭, 관리가 머리에 쓰는 모자를 벗고서 소립素笠을 쓴 후 12현금絃琴, 가야금을 들고 천관사天官寺 우물 속으로 들어가다 잠에서 깨어났다. 꿈에서 깨어나 사람을 시켜 그것을 점치게 하니, 말하기를 "복두를 벗은 것은 관직을 잃을 징조요, 가야금을 든 것은 형틀을 쓰게 될 조짐이요, 우물 속으로 들어간 것은 옥에 갇힐 징조입니다."라고 했다. 김경신은 이 말을 듣자 심히 근심스러워 두문불출하였다. 이때, 아찬阿飡 여삼 혹은 다른 본에서 여산餘山이라고도 하는 사람이 와서 뵙기를 청했으나, 김경신은 병을 핑계로 하여 사양하고 나오지 않았다. 재차 청하여 말하기를 "한 번만 뵙기를 원합니다." 하므로 이를 허락하자, 아찬이 물었다. "공께서 근심하는 것은 어떤 일입니까?"

이에 꿈을 점쳤건 연유를 자세히 설명하니 아찬은 일어나 절하며 말하기를 "그것은 좋은 꿈입니다. 공이 만약 대위大位에 올라서도 나를 버리지 않으신다면 공을 위해 꿈을 풀어 보겠습니다."라고 하였다. 이에 좌우를 물리치고 해몽하기를 청하자 아찬은 "복두를 벗은 것은 위에 거하는 다른 사람이 없다는 뜻이요, 소립을 쓴 것은 면류관冕旒冠을 쓸 징조이며, 12현금을 든 것은 12대 손까지 왕위를 전한다는 조짐이며, 천관사 우물로 들어간 것은 궁궐로 들어갈 상서로운 조짐입니다."라그 하였다. "위에 주원이 있는데 어찌 왕위에 오를 수 있겠소?"라고 김경신이 말하자 아찬이 대답하기를 "청컨대 은밀히 북천신北川神에게 제사를 지내면 될 것입니다."라고 하였다. 이 말을 들은 김경신은 아찬의 말을 따라 북천신에게 제사를 올렸다. 이후 김경신은 왕위에 올라 신라 38대 원성왕이 되었다.

『삼국유사三國遺事』 권 제2 「기이紀異」편 원성대왕元聖大王 조

이제는 백성을 보아야 할 때

다섯 명의 왕이 바뀌는 30여 년의 기간 동안 나타난 수많은 지진과 가뭄, 홍수 등의 자연재해는 민생의 삶을 궁핍하게 하였고, 일식과 태양의 변화 등의 신비한 현상은 민생을 불안에 흔들리게 하였으니 이는 백성들이 바라보기에 흡사 하늘이 노하고 땅이 성을 내는 것과 다를 바 없었다.

조카를 시해하고 왕위에 오른 왕도 그 죄책감이 작지는 않았다. 그러나 재해와 전염병으로 지쳐있는 민심을 다독이는 것이 우선이었으니 어떠한 방법이든 대책을 만들어야만 했다. 왕실의 조상을 모신 신궁에서 제사를 지내 국가와 백성의 안녕을 기원하였고 나라 안의 모든 제방을 점검하고

수리하였다. 하지만 오랫동안 이어진 자연재해로 백성들의 살림살이는 쉽사리 나아지지 않았다. 헌덕왕은 신하들을 모두 불러모아 해결 방안을 찾고자 매일 매일을 심사숙고하였다.

이때 한 신하가 왕에게 고하였다.
"국가에 큰일이 있을 때마다 왕실은 중악에 올라 산천에 제를 지내 국태민안을 기원했으니 왕이 직접 중악에 행차하여 산천초목에 기원 올림이 어떻겠습니까."

모든 신하가 한목소리로 옳다고 하자 왕이 말하였다.
"하늘의 노함에 사죄하고 땅이 안정될 수 있다면 왕이 된 자로 나는 무엇이든 하겠다."

헌덕왕의 이러한 강한 의지는 모든 이의 시선을 중악에 머무르게 하였다.
중악中岳, 신라가 나라를 건국하고 힘들고 어려운 일이 있을 때마다 의지하던, 다섯 곳의 신령스러운 터에 자리한 명산으로 전국 오악五岳 가운데에 자리한 공산이다. 이러한 명산에 백성들의 안위를 고민하던 헌덕왕의 시선이 머무를 수밖에 없었던 것은 어쩌면 당연한 결과일지도 모르겠다.

공산에 약사부처님 나투시다

헌덕왕은 국태민안을 바라는 기원을 담아 산천에 제를 지내야 한다는 주변의 권고에 따라 중악으로 행차하였다.

신라가 삼국을 통일한 이후 수도인 경주를 중심으로 펼쳐져 있던 오악五岳은 새로운 영토에 걸맞는 오악으로 재편되었다. 재편된 오악은 동악토함산:吐含山, 서악계룡산:鷄龍山, 남악지리산:智異山, 북악태백산:太白山, 중악공산:公山의 다섯 곳이었다.

새롭게 재편된 오악은 통일신라에 있어서는 정치·경제·지리적으로 매우 중요한 위치에 자리하고 있었으며, 신라를 보호하는 산신이 자신들을 지켜주길 바라는 백성의 마음이 투영되어 있었다.

통일신라의 오악五岳

그중 공산은 오악의 중심인 중악中岳이자 국토의 중심으로, 국가를 위한 제사가 이뤄지던 신령스럽고 매우 중요한 장소로 여겨졌다.

또한, 신라의 중차대한 전환점이었던 삼국통일의 대업을 이끌었던 김유신 장군이 기도와 수련을 했다고 전해지는 중암암中巖庵과 중악석굴中岳石窟이 있으니 통일신라의 '중악' 이전에 국가적으로 중요한 의미가 있는 곳이기도 하다. 무엇보다 원효스님이 6년간 수도했던 서당굴誓幢窟이 있는 오도암悟道庵과 대안스님처럼 백성들과 함께 생활하며 백성들의 삶을 어루만졌던 역대의 훌륭한 스님들이 거주하며 수행하였던 신령한 장소들이 있는 곳이었다.

오도암 전경

서당굴 외부   서당굴 내부

    왕실의 오랜 분란과 지배층의 무능으로 삶에 지치고 희망을 잃어가던 백성들은 더 큰 존재에게 기대고 보호받고 싶은 바람을 항상 마음에 품고 있었다. 그래서 주변에 힘들고 어려운 일이 생기면 희망의 마음을 품고 공산

에 찾아가서 빌고 또 빌었다. 백성들의 마음이 담긴 이러한 영산靈山에 가서 나라의 안녕을 기원한다는 것은 백성을 살피려는 헌덕왕의 마음을 보이는 행보이기도 하고, 또 신령한 기운으로 보호받고자 하는 기대감도 있었을 것이다.

기대와 희망을 품고 공산에 도착한 헌덕왕은 이처럼 신령스러운 곳에 부처님이 모셔져 있지 않음이 의아하였으며, 이는 미처 생각지도 못한 일이었다. 나라의 혼란을 잠재우고 피폐한 백성들의 삶을 치유하기 위하여 산천에 제사를 지내는 것도 중요했다. 하지만 어려서부터 부처님께 귀의한 헌덕왕은 만백성이 직접 부처님께 귀의하여 발원할 수 있도록 이곳에 부처님을 모시는 것이 더 우선이라는 생각이 들었다. 이에 헌덕왕은 공산에 부처님을 모셔야겠다는 생각을 굳히고는 각지의 대덕 스님들을 모시고 백성의 아픔을 어루만져줄 수 있는 부처님을 모시자는 뜻을 전하였다. 이때 한 젊은 스님이 앞으로 나와 이야기 하나를 전했다.

"오래전 세상에 나투신 부처님이 계셨습니다. 그 부처님은 이 세상이 고통으로 가득하다는 것을 깨닫고 보리심을 일으켜 이 모든 것에서 해방되어야겠다고 생각했으며, 특히 사람들의 질병에 도움이 되겠다고 서원하였습니다. 결국, 그분은 깨달음을 얻어 약사부처님이 되었으며 두 분의 아들은 월광보살과 일광보살이 되었습니다."

그리고 자리를 잠시 정리한 스님은 다시 말씀을 이어 나갔다.

"지금의 아픔은 마음의 아픔이요 몸의 아픔입니다. 어느 하나의 아픔이 아닌 모두의 아픔입니다. 왕께서도 그 아픔을 고스란히 느끼시니 이 아픔을 잊을 수 있도록 약사부처님을 모심이 어떠할까 싶습니다. 약사부처님을

팔공산 서봉 약사여래좌상

모신 후 가피加被가 일어 이 아픔이 모두 사라진다면 훗날에 병을 치유하고자 서원하는 모든 이들에게 특별한 부처님이 될 것입니다."

팔공산 동봉 약사여래입상

젊은 스님의 말에 함께 자리한 사부대중 모두가 감동하였다. 헌덕왕 또한 이 말에 감명받아 공산의 정상에 약사부처님을 모시고자 하는 원력을 세우며 석공을 구하고자 하였고, 말씀을 주신 젊은 스님에게 약사부처님 모시는 일을 함께 해줄 것을 간곡히 청하였다. 스님이 불사에 동참하여 함께 할 것을 허락하자 그 자리에 있던 스님들 또한 흔쾌히 불사에 동참하고자 하였다.

　이렇듯 뜻을 같이한 스님들은 부처님을 모실 자리를 찾아 공산을 오르내리며 동분서주하였다. 그렇게 여러 날을 봉우리와 골짜기 곳곳을 살피고 다니던 어느 날이었다. 평소와 다르지 않게 오도암悟道庵을 거쳐 오도재를 지나 정상에 오르다 고개를 들어 보니 문득 동쪽과 서쪽에 대칭으로 봉우리가 솟아 있음이 새롭게 보였다.

　드디어 눈앞에 약사부처님을 모실 자리가 나타나 보이니, 스님들은 서로 바라보며 미소를 짓고 원효스님께서 깨달음을 얻었다는 오도암의 원효굴을 향해 합장하였다. 공산에 약사부처님을 모시려고 하는 그 마음을 헤아려 원효스님께서 약사부처님 모실 자리를 정하여 알려주셨다고 생각한 것이다. 그 자리에 머물던 모든 이들은 비로봉을 중앙으로 두고 양쪽 봉우리에 약사부처님을 모신다면 지쳐있던 몸과 마음도 함께 평안해지리라는 강한 믿음이 생겼다.

　스님들은 함께 온 장인과 함께 움막을 짓고 솟아오른 봉우리의 바위에 약사부처님을 조성하기 시작했다. 동쪽 봉우리에는 세상 모든 이를 일어서서 바라보는 부처님을, 서쪽 봉우리에는 자리에 앉아 세상 모든 이들을 품어주시는 부처님을 모시고자 했다. 두 분 부처님 조상彫像이 시작되자 스님들은 매일 동쪽과 서쪽 봉우리에 올라 부처님께서 신라 땅의 모든 이들의 아픔을 어루만져주시기를 바라는 하나의 마음을 담아 기도하고 또 기도하였다.

　당시 신라인들의 그 간절하고 진실된 마음으로 조성된 약사부처님은 천년의 세월이 훌쩍 넘는 긴 세월 동안 공산의 그 자리에 상주해 계시면서 오늘도 이 땅에 살아가는 중생들의 삶과 고단함을 살피며 품어주고 계신다.

효공왕과 갓바위 부처님

팔공산 관봉八公山 冠峰에는 우리가 흔히 '갓바위 부처님'으로 부르는 석조여래 좌상이 있다. 이 불상은 우리에겐 약사여래불로도 알려져 있으며 한 가지 소원은 꼭 들어준다는 영험한 부처님이다. 이 석조여래좌상에는 신라 52대 왕인 효공왕孝恭王과 얽힌 구전설화가 전해지고 있다.

효공왕의 꿈에 나타난 부처님

신라 효공왕의 어머니인 대비[大妃, 의명왕태후 義明王太后 김씨로 추정된다.]가 병이 들어 전국의 여러 의원을 통해 병을 치료하고자 하였으나 백약이 무효하였으며 이 때문에 대비의 몸은 날로 약해져 가고 있었다. 이를 그저 바라볼 수 밖에 없었던 왕의 근심은 날이 갈수록 깊어져만 갔다. 그러던 어느 날 부처님이 꿈속에 나타났다.

"그대의 효성이 지극하니 목탁 소리를 따라가면 영약을 구할 수 있으리라."

현몽現夢을 받은 왕은 신하들을 급히 편전으로 불러 모았다.

"부처님이 현신하시어 목탁 소리를 따르라 하시니 당장 목탁 소리가 나는 곳을 찾도록 하라."

왕명이 내려지자 신하들은 급히 목탁 소리가 나는 장소를 찾기 시작하였다. 그리고 멀리 들리는 소리를 따라가다 보니 깎아지른 낭떠러지의 벼랑 앞에 이르자 목탁 소리가 멈추었다. 그때 갑자기 그 자리에서 맑은 샘물이 솟아 흐르기 시작하자 신하들은 신비하게 생각하였다.
"이 샘물을 어서 왕비님께 올립시다."

신하들은 그 샘물을 담아 왕궁으로 돌아와 왕에게 올렸고, 왕이 직접 샘물을 그릇에 담아 대비에게 마시게 하였다. 이후 대비의 병은 점차 호전되어 완쾌하게 되었고 왕은 현몽을 통해 큰 기쁨을 내려주신 부처님의 은혜에 보답하고자 그 약물이 솟은 자리에 석조여래좌상을 조성하니, 이분이 지금의 갓바위 부처님이다.

2. '해안海眼'에 담은 서원

민중의 아픔을 끌어안은 약사여래불과 해안사

약사부처님이 신라의 백성들 마음 깊이 들어오다
　고대로부터 한반도에 살았던 우리의 선조들은 자연숭배의 일환으로 전국 명산에 혼魂을 부여하고 '산신山神'이라 하였다. 이러한 명산 숭배에 서려 있는 여러 흔적은 한반도 문화·역사와 함께 후대에 전해졌다.
　신라는 삼국을 통일한 이후 오악五岳을 재편하였는데, 공산을 오악의 중심인 중악中岳으로 정하고, 동악東岳은 토함산, 남악南岳은 지리산, 서악西岳은 계룡산, 북악北岳은 태백산으로 지정하였다. 또한, 각각의 오악에는 국가의 안녕을 기원하기 위해 제단을 모시고 삶을 의지하였다. 이러한 산신 신앙은 신라가 불교를 받아들이면서 서로 조화를 이루어 나갔고, 점차 불교로 이전되었다. 신라의 사료史料를 살펴보면 부처님께 나라의 안녕과 백성의 평온을 염원하는 장면이 심심치 않게 보인다.

> 중사中祀 오악은 동쪽으로 토함산 대성군지금의 청도, 남쪽으로 지리산 청주지금의 진주, 서쪽으로 계룡산 웅천주지금의 공주, 북쪽으로 태백산 나사군지금의 영주, 가운데에는 부악, 공산이라 하고 압독군지금의 경산이다.
> 『삼국사기三國史記』 권 제32 「잡지雜志」 제사祭祀 조

> 벽에 53분의 부처님과 육류성중六類聖衆, 모든 천신天神 및 오악신군五岳
> 神君을 그림으로 그리고 봄, 가을에 선남선녀를 모아 점찰법회를 베풀어
> 이를 항규恒規로 삼으라.
>
> 『삼국유사三國遺事』 권 제5 「감통感通」편 선도성모수희불사仙桃聖母隨喜佛事 조

불교를 호국신앙護國信仰으로 삼은 신라에서 53분의 부처님과 육류성중六類聖衆을 모시고 오악신군의 그림을 그려 함께 모셨다는 이야기는 산신과 불보살을 통하여 백성의 평안을 기원했음을 알 수 있다.

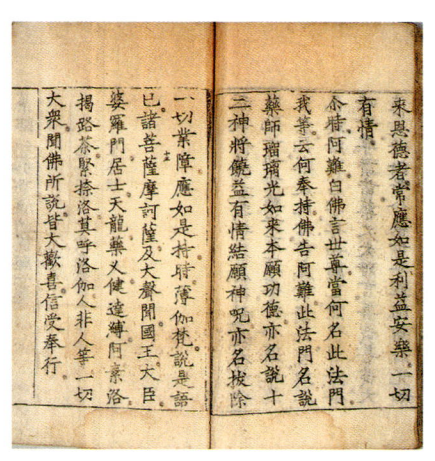

약사유리광여래본원공덕경 ⓒ한국학중앙연구원

신라 23대 왕인 법흥왕은 왕위에 올랐을 때 자극전紫極殿에 올라 동쪽 지역을 살펴보며 "예전에 한나라 명제가 꿈에 감응되어 불법이 동쪽으로 흘러들어왔다. 내가 왕위에 오른 뒤로 백성들을 위해 복을 닦고 죄를 없앨 곳을 마련하려 한다."라고 말하며 불교의 중흥을 염원하였다. 법흥왕이 백성들의 복을 닦고, 죄를 없앨 기도처를 마련하고자 하는 것처럼 신라시대에는 산 정상에 백성의 고통을 어루만지고자 하는 서원을 담은 마애불이 다수 조성되었다. 신라가 삼국을 통일할 무렵부터 약사부처님은 '중생의 고통을 치유'하는 부처님으로 깊이 받아들여졌다. 이러한 약사부처님이 신라의 백성들 마음 깊이 들어와 있다는 것을 유추할 수 있는 일화가 또 하나 있는데 선덕여왕과 밀본법사의 이야기이다. 밀본스님이 독경한 『약사유

리광여래본원공덕경藥師琉璃光如來本願功德經』의 가피加被가 눈앞에서 펼쳐져 여왕의 병을 치유하니 주의 사람들이 모두 감격하며 스님의 덕행을 칭송하였다고 한다. 밀본스님이 중생의 고통을 헤아리는 약사부처님의 위신력威神力을 실증해 보인 것이었다.

『약사경藥師經』을 한번 읽는 것만으로도 한 나라의 왕을 병들게 한 요사스러운 존재를 물리쳤다는 이야기는 쉽게 믿지 못할 수 있다. 그러나 통일 이전 신라에 유통되던 『약사경』의 위신력이 내포된 이야기면서 동시에 당시 신라인들이 약사부처님께 대한 믿음이 얼마나 확고했는지 보여주는 이야기이기도 하다. 병만 치유하는 것이 아니라 온갖 질병과 재앙을 소멸시켜 주는 새로운 믿음의 대상으로서의 약사부처님이었던 것이다. 약사부처님이 왼손에 약병을 들고 오른손은 두려움과 걱정을 없애준다는 시무외인施無畏印의 수인을 맺고 있는 것도 같은 이유이다.

8세기 초반 당나라 의정스님에 의해 새롭게 번역된 『약사여래칠불공덕경藥師如來七佛功德經』이 신라에 전해지며 약사여래신앙은 통일 이전보다 훨씬 널리 유행하기 시작하였다. 통일 이후 약 150여 년에 이르는 동안 신라 사회는 흥성기를 맞이했고 다른 불교 신앙들 역시 널리 퍼지게 되었다.

하지만 9세기 초반에 이르러 상황이 달라졌다. 지방과 수도를 가리지 않고 기근이 들었으며 전염병이 창궐했다. 굶주림에 못 이겨 자손도 팔아야 하는 처참함까지 백성들의 고통은 말로 표현할 수 없는 지경에 이르렀다. 그러한 상황에서 모든 중생의 재앙과 고통을 없애주는 약사부처님의 외호外護와 가피는 절실하였을 것이다.

선덕여왕과 밀본법사

선덕여왕善德女王이 병이 들어 오랫동안 자리에서 일어나지 못하였다. 여왕의 병에 좋다는 약을 다 써보았으나 효험이 없자 흥륜사興輪寺의 승려 법척法惕을 왕궁에 불러 여러 경전을 읽으며 처방하고자 하였다. 그러나 이러한 노력도 여왕의 병을 치유할 수 없었다. 당시 신라에는 덕행德行으로 명성이 높았던 밀본법사密本法師가 있었다. 신하들은 갖가지 방법으로도 여왕의 병을 치유할 수 없자 밀본법사를 불러 법척을 대신할 것을 청하였다.

"흥륜사의 법척도 능력이 뛰어나지만, 밀본법사가 법력이 뛰어나고 신비스러운 주문을 외우니 그를 부르는 것이 어떻겠습니까?"

"신비스러운 주문이라니요. 그런 스님이 계신다는 말입니까?"

"그렇습니다. 세상을 통달한 사람만이 신비스러운 주문을 외울 수 있다고 하는데 밀본법사가 그렇다고 합니다."

"그렇다면 당장 모시고 와야 하지 않겠습니까?"

왕이 조서를 내려 궁궐 안으로 맞아들이자 허름한 옷을 입은 밀본법사가 궁궐에 들어와 여왕이 머무는 침실 밖에서 『약사유리광여래본원공덕경藥師琉璃光如來本願功德經』을 읽기 시작하였다. 경전 한 권을 모두 읽자 밀본법사가 가지고 있던 육환장六環杖이 침전 안으로 날아 들어가 한 마리 늙은 여우와 법척을 찔러 뜰 아래로 거꾸로 내던졌다. 이때 밀본법사의 정수리 위에 오색의 신비로운 빛이 발하니 이를 바라보던 사람들이 다 놀랐다.

가만히 자리에 앉아 있던 밀본법사는 여왕에게 합장하고 말하였다.

"여왕이시여! 그동안 늙은 여우가 침실 밑에 숨어 기운을 빼앗고 있으니 어떠한 약도 들지 않았던 것입니다."

"밀본법사님 덕분에 살았습니다. 고맙습니다."

이날 이후 여왕의 깊던 병이 꾀병처럼 나았다.

약사부처님, 백성의 아픔을 보듬어 주옵소서!

새롭게 등극한 왕은 간절한 염원을 담아 오악의 중심인 중악 공산에 약사부처님을 모심으로써 고통에 시달리는 백성들의 마음을 달래고, 약사부처님의 가피로 백성들을 보호하고자 하였다. 전염병이 돌고 기근에 시달리며 거대한 돌이 저절로 움직이는 괴변이 일어나는 이러한 때에 약사부처님을 모시는 일 그 자체로 백성의 안위를 걱정하는 왕실에 특별한 의미를 부여하고 있었다.

약사부처님에게 의지하여 기도하는 스님들

공산의 동쪽과 서쪽 양 봉우리에 백성의 아픔을 어루만져줄 수 있는 부처님을 조성하는 동안 스님들은 매일의 기도를 이어 나갔다. 아직 완성되지 않은 약사부처님이 스님들의 기도에 감응하신 것처럼 부처님을 조성하는 동안에는 적당하게 비가 내렸고 시원한 바람이 주위를 감쌌다. 이 시간 헌덕왕은 산자락에 약사부처님이 상주할 수 있는 공간과 스님들이 머물며 기도를 이어갈 공간을 만들기 위해 사찰을 짓기 시작하였다.

스님들의 간절한 기도 속에 하루하루가 지나갔고 웅장하고 따뜻해 보이는 약사부처님의 조성도 막바지에 이르렀다. 그리고 어느 순간 자애롭고 거룩한 모습으로 약사부처님이 드러나기 시작했다.

약사부처님이 바위에 새겨져 완연한 모습을 드러내던 날, 하늘은 티 없이 맑았고, 맑은 하늘 아래 공산의 봉우리 우뚝한 두 봉우리 위로 무지개가 걸쳐졌다. 그 신이롭고 아름다운 광경에 당장에라도 백성들은 고통에서 벗어날 것만 같았다.

바위에 부처님을 조성하는 불사는 완성되었으나 왕의 명으로 짓고 있던 사찰은 미처 완성되지 못했다. 하지만 스님들은 그 자리에서 기도를 이어갔다. 스님들은 그곳을 떠날 수 없었다. 지금까지 온 마음을 다해 부처님께 기도하였으나 백성들의 아픔은 아직도 계속되고 있음을 알고 있었기 때문이었다. 그동안 약사부처님이 조성되는 과정을 지켜보면서 산중 움막에서 밤이슬을 피하던 스님들에게 이곳은 어느 요사채에서 머무는 것과 다르지 않은 푸근함이 있었다. 아직 완성되지 않았고, 사명[寺名]도 없는 사찰이지만 그 자리가 부처님과 함께하는 자리였기 때문이다. 이에 스님들은 왕에게 이 자리 주변에 계속 거처할 수 있기를 청하였고 움막에 머물며 기도를 이어 나갔다.

공산 해안사로 우뚝 서다

공산, 우뚝한 봉우리에 중생을 어루만져주는 약사부처님이 계시고 백성들이 고통에서 벗어나기를 기원하는 스님들의 염불소리가 끊이지 않고 이어졌다. 계절을 넘기며 사찰이 완성되어 가던 어느 날 스님들은 법당 주위에 모여 사찰의 이름[寺名]을 짓고자 하였다. 자자[自恣.

승려들이 안거安居가 끝날 즈음에 서로의 허물을 지적하고 참회함으로써 승려 본연의 청정함을 유지하려는 제도를 말한다.]를 하듯 돌아가며 고민의 결고를 내놓았으나 며칠이 지나도 이름이 떠오르지 않아 스님들의 고민은 깊어져만 갔다.

이때, 헌덕왕은 사찰이 완성되어 가는 모습을 보며 그곳을 축리소[祝釐所, 나라의 태평과 백성들의 평안을 비는 제단]로 삼고자 하는 의견을 스님들에게 보내왔다.

> 신라 헌덕왕 기축년에 혜철국사가 개산開山하고 해안사海眼寺로 편액을 달아 헌덕왕이 복을 비는 곳[축리소]으로 삼았다.
>
> 「팔공산은해사사적비」八公山銀海寺事蹟碑」

축리소는 나라에서 하늘에 제사를 지내는 곳이다. 예로부터 공산은 중악으로 불리며 산신에게 제사를 지내어 국가의 안녕을 기원하고 고통을 겪고 있던 민심을 다독이고 위로하기 위한 장소였지 않은가. 이곳에 다시 사찰을 창건하여 축리소로 삼고자 한다는 것은 약사부처님의 위신력을 통해 백성의 고통을 끌어안고자 하는 의도가 포함되어 있었으리라. 이곳을 축리소로 삼고자 한다는 왕의 소식을 들은 스님들은 왕의 의중이 사명을 정하는 고민에 부합한다는 생각에 모두 기쁘게 받아들였고, 모두의 의견을 모아 이 의미가 함유된 새로운 사명寺名, 해안사海眼寺로 정하였다.

해안, 이는 고통의 바다인 사바세계에 약사여래부처님이 민생의 아픔과 고통을 두루 살펴 돌봐주기를 바라는 마음이 담겨있다. 그리고 산꼭대기에서 계곡을 따라 흐르는 물이 저류低流로 흘러 깊은 바다와 연결되며, 모인 물이 다시 이곳 중악에서 끊이지 않고 솟아오르듯, 부처님의 자비심이 항상 이곳에 흘러넘치기를 바라는 마음이 오롯한 뜻이었다. 또한, 불교에서 '해海'는 보통 '고통'으로 해석되고, '안眼'은 '눈' 또는 '보다'로 해석된다. 약사부처님이 우리의 고통을 두루 살피시듯이 '돌본다'로 해석될 수도 있었다. 이에 '해안'은 부처님의 자비심이 넘쳐 흐르고, 민생의 '아픔과 고통을 돌보는 곳'이라는 의미가 담겨있었다.

이처럼 공산의 동서 양봉에 약사여래불이 조성되었으나 아쉽게도 공산 해안사와 관련한 자료는 거의 남아 있지 않다. 다만 당시 해안사가 창건되었을 장소로 추정되는 운부암 아래 해안평海眼坪으로 보이는 곳에서 기와가 일부 발견되는데, 그 기와에는 '공산원적公山元赤'이라는 글이 새겨져 있다.

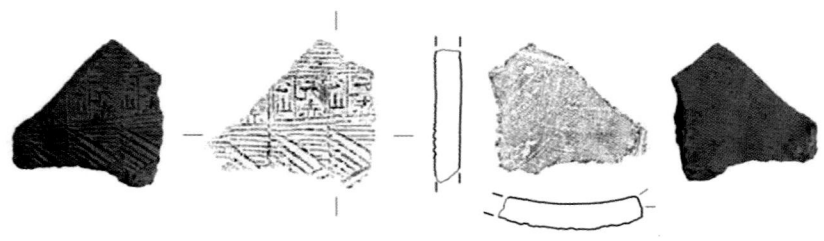

은해사 구지 '公山元赤'명 암키와편 실측도 ⓒ2015 한국의 사지 현황조사 보고서 下

'공산원적'을 단순히 해석하자면 '공산의 으뜸가는 또는 최초의 붉음'으로 해석할 수 있지만, 이 자체로는 큰 뜻이 있어 보이지는 않고 파손된 뒷부분이 함께 해석될 때 그 진의가 드러날 것으로 보인다. 하지만 공산의 '으뜸' 또는 '최초'라는 글귀에서 알 수 있듯이 해안사가 공산의 사찰 중 매우 중요한 위치에 있었음은 분명해 보인다.

젊은 혜철, 백성에 대한 자비심으로 해안사를 창건하다
: 심신의 아픔을 딛고 보살도를 향하여

보살도를 향한 발걸음

공산에 부처님을 모신다는 소식이 전국에 퍼졌다. 백성들은 지금의 이 배고픔을 해결해 주었으면 하는 바람도 있었다. 지금까지 부처님을 모시고 기도를 올렸을 때 언젠가는 고통을 말끔히 거둬주셨기에 부처님께 거는 기대의 마음으로 간절한 기도를 시작했다. 그들은 굶어 죽지 않기를, 병든 부모 또는 아이가 병을 털고 일어나기를, 지진과 가뭄·홍수로 죽은 가족이 부디 극락왕생하기를 바라는 마음으로 기도했다. 백성들처럼 전국의 스님들 역시 도탄에 빠진 국가를, 민생을 구하고자 직접 참여하기를 바랐지만, 형편이 되지 못하는 수많은 스님은 각자의 자리에서 매일 기도를 올렸다. 이때 공산의 부처님 소식을 전해 듣고 발걸음을 재촉하여 한달음에 달려온 분이 계시니 바로 혜철惠哲스님이다.

이 무렵 혜철스님은 비구계를 받고 수행에 전념하고자 했지만, 언제나 백성의 고통에 마음 쓰림이 있던 때였다. 어느 날, 『화엄경華嚴經』「이세간품 離世間品」을 읽던 스님은 보살마하살菩薩摩訶薩이 열 가지 대자비로 중생을 관찰한다는 글을 보며 자신은 중생들에게 어떤 자비를 베풀며 보살도를 행할 수 있는지 고민에 싸였다. 구족계를 받고서 오로지 중생들에게 어떤 자비를 베풀어 보살도에 이를 것인가를 고민하며 수행에 정진하던 스님에게 마침 공산의 소식이 들려온 것이다.

공산에 도착하자 산봉우리에서부터 돌을 쪼는 소리가 메아리로 울리고 쉴 새 없이 오르락내리락하는 석공과 여러 스님의 모습을 보게 된다. 혜철스님은 자신의 깨달음은 중생의 고통을 품어주는 것에 닿아있음을 알고 혼신의 힘을 다해 기도에 매진하였다. 산봉우리에서 석공들의 정 쪼는

은해사 사적비

소리가 들리기 시작하면 그들의 안전을 위해 기도하고, 또 기도하는 대중 스님들이 머물 처소를 마련하는 사찰 건립에도 그 중심에서 진두지휘하였다. 석공의 신심 담긴 손놀림과 스님들의 간절한 염원의 기도 소리가 끊이지 않는 나날이 이어졌다.

  드디어 왕과 스님과 백성의 간절한 마음이 담긴 공산 약사부처님이 조성되었다. 그리고 얼마 후 혜철스님의 기도와 함께 세운 사찰이 완공되니 바로 해안사다.

> 신라 기축년에 혜철국사가 개산하고 해안사海眼寺로 편액을 달아 헌덕왕이 복을 비는 곳[축리소]으로 삼았다.
>
> 「팔공산은해사사적비」

출생부터 남달랐던 혜철스님

혜철惠哲스님의 호는 혜철慧徹, 자는 체공體空이다. 어떤 인물의 태몽이나 탄생설호는 그 인물을 상징하기도 하는데, 전해져 오는 혜철스님의 태몽 역시 해안사를 창건하게 된 이유를 가늠하게 한다.

혜철스님의 어머니는 태기를 느끼기 이전, 꿈속에서 한 서역 승려를 만났다. 승복을 단정히 차려입은 서역의 승려는 태도가 엄숙하고 단정했는데, 향로를 가지고 서서히 다가와 자신이 누워있는 침상에 앉는 기이한 꿈을 꾸었다. 꿈에서 깬 어머니는 서역승의 모습이 바로 앞에 있는 듯하고, 서역승이 들고 있던 향로에서 맡은 냄새가 아직도 선명하게 남아 있는 듯했다. 그리고 며칠 뒤, 태기를 느끼고 기이한 꿈이 태몽임을 알았다.

꿈속에서 서역승을 만나다

스님의 어머니는 '어쩌면 뱃속 이 아이의 전생은 서역에서 수행하던 스님이었을 수도 있겠구나. 못다 한 수행을 하기 위해, 깨달음을 얻고자 내 몸을 빌려 태어나고자 하는 것일 수도 있겠어. 귀하디 귀한 생명, 열 번의 달이 바뀌는 동안 세상의 좋은 일만 있길 바라고, 예쁜 것만 보는 태교는 하지 않으리라. 세상의 아픔도, 슬픔도 모두 보면서 세상을 향한 보살의 길을 걸을 수 있도록 도우리라.'라고 결심했다. 배가 남산만큼 불러오는데도 주변의 아픔을 돌보기를 멈추지 않았는데, 도움의 손길을 받은 이들이 보살이라 불렀던 것에 비해 시어머니는 매일 걱정과 함께 한소리를 했다.

"뱃속에 귀한 생명을 품었음에도 어찌 매일 밖으로 돌아다니는 것이냐. 밖에서 좋은 것만 보지 않고 어찌 아픈 병자를 돌보고 다니는 것이냐. 그러다 역병에라도 전염되면 어찌하려고. 태교를 어떻게 해야 하는지 정녕 모른단 말이냐!"

이런 꾸중 아닌 꾸중을 들어가면서도 열 달을 그렇게 보내다가 출산을 했다.

이렇게 태어난 혜철스님은 아주 어렸을 적부터 보통 사람과는 다른 모습을 보였다. 행동거지가 매우 조용하였고 누린내와 비린내를 참기 힘들어했다. 앉을 때는 결가부좌를 하고 앉았으며 절에 가서 범패梵唄를 하는 스님을 보며 따라 하기도 하였다. 어머니는 이러한 아들의 모습을 보면서 태몽 속 서역승의 모습이 항상 겹쳐 보였다. 태교할 적의 마음처럼 보살도를 향한 훈육을 하였다. 태몽에서 맡았던 향로의 그윽한 향기처럼 많은 이들에게 향기로운 보살이 되길 바라면서 말이다. 아들이 15세 되던 해, 어머니는 지금까지 아들과 태몽 속 서역승의 모습이 겹쳐 보이다가 문득 화엄대교華嚴大敎를 펼치고자 중국에서 돌아온 의상義湘스님의 모습이 함께 투영되어 보임을 느꼈다. 그날로 아들을 불러 태몽 이야기부터 그간의 일들을 말해주었다.

다음 날 혜철스님은 의상스님이 지었다고 전해지는 영주 부석사浮石寺로 찾아가 곧바로 출가하였다. 부석사는 의상스님과 선묘낭자의 전설이 깃든 곳이며 당대에 화엄십찰華嚴十刹로 불리던 곳이다. 혜철스님은 이곳에서 『화엄경華嚴經』을 배우고 탐구하며 얻은 뜻을 나름대로 정리하여 문장을 엮고 뜻을 맞추어 두루마리로 엮었다. 비록 출가하여 수행자의 길로 들어선 지 얼마 되지 않은 시기였으나 함께 수행하던 이들에게는 훌륭한 길잡이 역할을 하였다. 이렇듯 학문의 깨침이 뛰어나 동학에게서 '불문의 안회[顔回: 『논어』에 나오는 공자의 제자. 공자의 제자 중 가장 뛰어난 제자로 알려져 있다.]'라고 불리었다.

해안사 창건의 뜻

혜철스님은 구족계를 받은 이후에도 율律을 지킴에 있어 마음을 닦고 행동을 정결하게 하며 마음으로 계율을 중히 여겼으며, 율을 지키기를 생명을 얻듯이 하였다. 또한, 화엄종 사찰인 부석사浮石寺에서 출가하여 화엄을 공부한 만큼 선禪에 많은 관심을 두었던 선승으로 당대에 젊은 승려들 사이에서는 명망 있는 스님이었다. '혜철'이라는 법명처럼 지혜가 밝게 빛나던 당대에 촉망받던 젊은 승려였다. 부석사에서 그대로 수학과 수행을 했다면 더 많은 제자를 양성하고 화엄이나 선풍을 선양했을 터였다.

젊은 시절의 혜철 상상도

그러나 어머니의 태교와 훈육 덕분인지, 아니면 전생에 다 이루지 못한 보살도를 이루고자 한 서역승의 환생이어서였는지, 그도 아니면 향로에서 풍겨 나오는 그윽한 향처럼 세상을 불법으로 가득 채우고자 했던 것인지는 알 수 없으나 속세의 아픔을 그냥 넘길 수 없는 혜철스님이었다.

스님은 자비심으로 힘들고 지친 백성들을 위해 보살도를 행하고자 하는 서원을 세운다. 비록 화엄종 사찰에서 화엄과 선법을 수학하였으나 대자비의 실천에 대해 고민하였으며, 그 뜻은 당시 백성들의 마지막 희망의 아이콘인 약사부처님 곁에서 기도하며 사회의 어려움을 극복하고자 했다. 왕실의 관심과 지원 아래 이루어진 불사이지만 산기슭에 사찰을 세우는 공사는 쉬운 일이 아니었다. 공산의 부처님 조성에는 많은 이들의 원력과 신심이 이어졌다. 특히 학문과 지혜가 빛났던 혜철스님의 동참은 이곳 공산에서 함께하는 대중 스님들에게도, 전국에서 함께 기도하는 스님들에게도 원력의 힘을 더욱 크게 발휘할 수 있는 계기가 되었다.

이러한 와중에도 수행 정진을 내려놓지 않던 혜철스님은 선법을 닦아 구산선문의 일문인 동리산문을 열며 수행자들의 본보기가 되었다. 선문조사禪門祖師 혜철스님의 보살도를 이루고자 하는 자비심과 선을 수행하는 노력은 해안사의 초기 사격寺格에 큰 영향을 주었으며, 그 초석으로 오늘날에도 공산의 으뜸 사찰로 은해사의 역사가 이어지고 있다.

곡성 태안사 적인선사탑과 탑비

제 2 장

부처님 세계[佛世界海]가 펼쳐진 공산公山

我觀維摩方丈室
能受九百万菩薩
三萬二千獅子座
皆悉容受不迫迮
又能分布一鉢飯
饗飽十方無量衆

내가 유마거사의 방장실을 보니
능히 구백만 보살을 들일 수 있고
삼만 이천 사자좌가 있어
모두가 앉고도 비좁지 않네
능히 한 바리때 음식을 나누면
가없는 모든 중생 배부르리라

백흥암 화엄실華嚴室 | 글_「유마힐소설경」 | 글씨_추사 김정희

1. 산 자에게 행복을, 죽은 자에게 왕생을

정토왕생을 서원하다

전장의 참화에 휩쓸리다

몽골군이 한반도를 휩쓸고 있었다. 고려 왕실을 집어삼켜야 직성이 풀리겠지만, 강화도로 천도한 왕실을 멀리서 바라보며 몽골군은 더욱 화가 났다. 소문을 들어보니 거란이 침입했을 때 부처님께 의지하여 고려가 위기를 극복했다고 한다. 그 정체가 무엇인지 수소문했다. 바로 '초조대장경판初彫大藏經板'이 그 정체였고, 그것은 부인사에 모셔져 있다고 한다. 약이 바짝 오른 몽골군은 강화도를 공격하지 못하는 화풀이를 대신 경상도에 풀어낸다. 고려가 꺼질 것 같으면서도 꺼지지 않는 촛불처럼 계속 국가의 생명을 연명하는 것이 즉 초조대장경판 때문인 것 같았다.

1232년고종 19 몽골의 2차 침입이 있던 때, 초조대장경판이 모셔진 부인사는 폐사에 가까울 정도로 소실되었고 초조대장경판은 불에 타 모두 재로 흩날렸다. 이 피해는 비단 부인사에만 머물지 않았고 주변에 머물던 백성들과 사찰에까지 이어졌다. 몽골군은 초조대장경판이 불에 탄 것을 보면서 고려를 완전히 집어삼킬 수 있다는 자신감을 뿜어냈고, 말의 고삐를 더욱 조이듯 경상도 일대를 쑥대밭으로 만들었다. 특히 초조대장경판의 일부가 사찰에 남아 있을까 두려웠는지 사찰을 보면 무조건 불을 지르고 보았다.

몽골군을 피해 공산성에 숨어들었던 백성들은 불안에 떨며 두려움에 하루 하루를 버텼다. 들고 온 양식이 떨어졌고, 급기야는 나무껍질을 벗겨

먹거나 흙을 파서 먹으며 연명하는 나날들이 이어졌다. 하지만 허기에 지쳐 죽어가는 이들이 하나, 둘씩 늘어만 갔다. 노모를 골짜기에 버린 자식의 눈에도, 어린 자식을 땅에 묻을 수밖에 없는 부모의 눈에도 피눈물이 고였다.

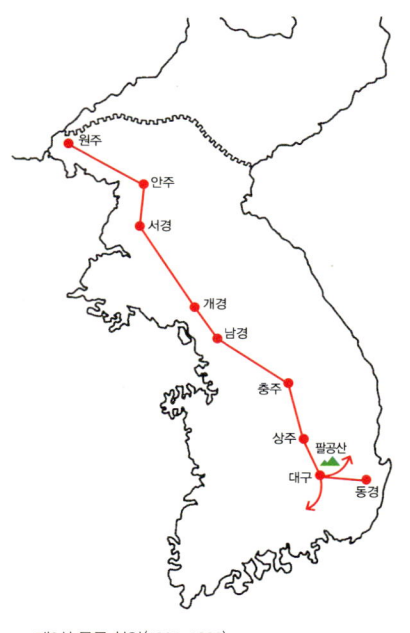

제3차 몽골 침입(1235~1239)

1235년 고종 22, 몽골군 3차 침입이 시작되었고 이번에는 고려의 세 번째 도시인 경주를 큰 화마 속으로 몰아넣었다. 경주의 곳곳이 불에 탔으며 신라를 대표하던 호국사찰 황룡사는 전각과 장육존상, 목탑이 모두 타버려 흔적만 남을 정도로 처참했다.

2차와 3차 침입으로 발생한 몽골군의 약탈과 유린에 의한 피해는 부인사와 경주만의 피해가 아니었다. 몽골군 침공 경로는 공산[지금의 팔공산]을 필연적으로 지나갈 수밖에 없었다. 공산은 경주로 가는 길목이기도 했으며 몽골군의 보급을 보충할 수 있는 지역이기 때문이었다. 대구를 지나 경주로 향하던 몽골군은 공산의 남쪽과 동쪽 지역을 휩쓸고 지나갔는데, 지나가는 곳마다 막힘이 없었으니 그 일대는 큰 피해를 겪을 수밖에 없었다. 신라인에게 중요했던 중악이 몽골군에게는 중요한 군수 물자의 보급로이자 공격로 중심의 역할을 했으니 아이러니하지만, 피해는 그만큼 심각했다.

간 사람이 그리워도 남은 사람은 살아야지

몽골군의 침략에 부인사와 황룡사가 그러했듯, 불안에 떨던 백성들이 숨어지내던 해안사도 결국은 폐사에 가까운 화마를 피할 수 없었다. 보은 속리사俗離寺, 지금의 법주사에 머물고 있던 혜영스님은 500여 년 전, 혜철스님이 중생의 아픔을 보듬고자 개창開創했던 해안사의 형편을 알게 되었고, 혜철스님의 뜻을 다시금 이어가고자 해안사 터로 달려왔다. 다른 지역도 처참했지만, 몽골군이 경상도에 화풀이를 단단히 했던 까닭에 상상했던 것 이상으로 상황은 참담했다. 무엇보다 혜영스님의 속가와 출가 지역 역시 경상도였던지라 남모르게 눈물을 흘릴 수밖에 없었다.

혜영스님은 우선 폐허가 된 사찰을 중창하여 백성들이 의지할 수 있는 자리를 만들어야겠다고 생각했다. 특히 공산 주변은 비슬산에서 출가한 스님들과 가까운 동화사의 도반들이 머물던 사찰이 많았다. 해안사도 함께 공부하며 부대끼고 선문답을 나누던 도반들이 머물던 곳이었다. 해안사 중창을 결심한 혜영스님은 창건 당시에도 나라의 어려움과 민초의 아픔이 있었지만, 지금은 전란으로 인한 아픔이니만큼 조금은 다른 손길이 필요하다고 여겼다.

마침 혜영스님은 『백의예참해白衣禮懺解』 1권 찬술을 막 끝낸 때였다. 승통僧統의 위치에 있었던 혜영스님에게 중찬中贊 유경柳璥이 백의예참白衣禮懺의 주석을 요청하였고 여러 경문經文을 인용 참고하여 찬술을 마무리했던 때인 것이다. 『백의예참해』는 일종의 의식집인데, 보타낙가산寶陀洛伽山에 머무르고 있는 백의관자재보살白衣觀自在菩薩을 믿고 따르며 악업을 참회하여 서방정토 극락세계에 왕생하고자 하는 발원의 내용이 담겨있다. 이뿐만 아니라 질병과 전쟁, 액난厄難과 재난災難의 소멸도 강하게 기원하고 있다. 혜영스님은 『백의예참해』에 근거해 해안사를 중창하고자 결심하였다. 비록 개창할 당시 혜철스님의 뜻과는 다르지만, 중생구제의 보살도 정신을 이어간다는 점에 있어서는 다를 바가 없었기 때문이다.
　해안사 중창과 함께 주변의 백성들과 『백의해白衣解』로 함께 기도하며, 이 고통에서 벗어나는 길을 알려주고자 했다. 혜영스님은 정토왕생을 목표로 하는 것이 아닌, 현세 이익적인 방법으로 백성들에게 의지처를 제공하고자 했다. 혜영스님이 알려준 방식은 주변 백성들에게 큰 이슈가 되었다. 내 고된 삶이 조금이라도 나아지길 바라는 기도를 하면서 사람들은 위안을 얻어 어려움 속에서도 좀 더 꿋꿋하게 버틸 수 있는 내성을 길렀다. 그들이 생활의 안정을 되찾아 가는 만큼 해안사의 전각들은 점차 틀을 완성해 갔다.

서방정토를 향한 영험을 만나다

　그렇게 주변 백성들과 더불어 마음을 모아 중창 불사를 마친 혜영스님은 어린시절 출가하여 함께 동거동락한 원참元旵스님을 찾았다. 원참스님에게 해안사에 머물며 백성들을 위한 기도를 이어가 달라고 부탁하였다. 원참스님은 혜영스님의 부탁이 못내 부담스러웠지만, 해안사를 중창하며 많은 백성을 어루만졌듯 다른 곳의 백성들에게도 손길을 내어주기 위함이라 생각했다. 혜영스님의 뜻이 어디에 있는지 아는 원참스님이 부탁을 들어드리겠노라 약속하자 혜영스님은 또 다른 아픔의 흔적이 있는 경주를 향해 걸망을 메고 길을 떠났다.
　혜영스님이 떠난 이후 원참스님은 새롭게 지어진 사찰의 부족한 부분을 수리하며 채워나갔다. 어느 정도 기틀이 잡혀가면서 고통스러운 시간을 보내며 살아가던 백성들도 관음보살의 가피加被를 통해 행복을 찾아가기 시작했다. 해안사에 머물며 기도에 매진해 가던 스님은 백성들의 아픔을 끌어안은 지금의 기도가 아직은 산자를 위한 기원에 머물러 있어 서방정토로 향해 간 사람들을 위한 기도 역시 필요하다고 생각했다.

　몽골의 침략에 의한 큰 피해와 백성들의 고통은 점차 치유되었으나 먼저 간 이들에 대한 그리움이 밤마다 사무치게 다가오니 이 고통을 없앨 수 없어 힘든 백성들이 은연중에 보였기 때문이었다. 스님은 이러한 고통으로 하루하루 힘들게 보내는 사람들을 모아 먼저 간 이들을 위해 '아미타본심미묘진언阿彌陀本心微妙眞言'을 독송하면 그들이 극락왕생할 수 있다고 달래주었다. 먼저 간 이들을 그리워하던 백성들은 하나, 둘 해안사에 모여 진언을 암송하며 아미타부처님께 먼저 간 이들이 극락왕생하기를 기원하였다. 어느덧 해안사의 중건이 마무리 되자 스님은 새로운 원력을 세워나갔다. 스님은 거조암으로 자리를 옮겨 '불설아미타본심미묘진언佛說阿彌陀本心微妙眞言' 수행을 하며 극락왕생을 기원하는 기도를 계속 이어갔다.

현행서방경 ⓒ국립대구박물관·은해사성보박물관

　부지런히 수행과 기도를 이어가다 드디어 회향을 하루 앞둔 전날 밤, 보살도행의 공덕이 있었던 것일까? 스님은 낙서樂西라는 신승을 만나 후세에 다시 태어날 선악지처善惡之處를 판별할 수 있는 미타정토왕생의궤彌陀淨土往生儀軌인 척생참법擲柶懺法을 전해 받았다. 이 참회법은 미륵보살의 수계를 의미하는 징표인 간자簡子 41개를 던져 다음 생에 태어날 곳을 점지하고 극락정토에 왕생할 수 있는 방법을 찾고자 하는 수행법이다.

척생참법을 통해 수행을 이어가던 스님은 이 참회법을 혼자만 할 것이 아니라 백성들에게 선보여 수행케 한다면 진언真言 수행을 하던 이들에게 좀 더 많은 도움이 되지 않을까 생각했다. 스님은 이 수행법을 우선 글로 남겨야겠다는 결심을 하고 집필했는데 이것이 바로 지금까지 전해져 오는 『현행서방경現行西方經』이다. 그리고 해안사 주변의 백성들과 함께 이 참법으로 기도하니 '전란 속이었기 때문에 어쩔 수 없었잖아.'라고 아무리 치부해 보아도 혼자만 살아 있는 것 자체가 죄스러운 마음뿐이었던 사람들은 가족·친지·이웃의 극락왕생을 기원하면서 점차 마음의 안정을 되찾아 갔다.

이렇듯 혜영스님과 원참스님에 의한 산 자와 죽은 자를 위한 기도 원력은 공산 주변에 깔리던 하얀 안개처럼 백성과 함께하며 해안사에 항상 머물러 지금까지 내려오고 있다.

2. 공산公山에서 움튼 정혜결사

지눌, 결사의 뜻을 품다

순천 송광사 보조지눌 국사 진경

우리 함께 합시다

25세의 나이로 승과에 합격한 보조지눌스님1158~1210은 1182년명종 12 1월에 개경 브제사普濟寺 담선법회談禪法會에 참석하였다. 이 법회에는 승과에 합격한 승려들이 모두 모여 있었다. 하루는 지눌스님과 도반 10여

명이 함께 담소를 나누며 무신정권으로 어지러웠던 정국에 대해 모두 한탄하고 있었다. 그때 지눌스님이 대중 사이에서 일어나 이렇게 말씀하셨다.

> "이 법회가 끝난 후에 마땅히 명리名利를 버리고 산림山林에 은둔하여 함께 결사結社합시다. 항상 선정禪定과 지혜智慧를 고루 익히는데 힘쓰며, 예불하고 전경轉經하고 나아가 일하고 함께 운력運力하는 데에 이르기까지 각각 소임대로 살며, 인연을 따라 심성을 수양하여 한 평생을 구속 없이 지내면서 멀리 달사達士와 진인眞人의 높은 수행을 따른다면 어찌 기쁘지 않겠는가!"

『권수정혜결사문勸修定慧結社文』

그 자리에 있던 도반 스님들이 지눌스님의 말을 듣고 모두 같은 마음을 내었다. 그리고 그들은 "훗날에 능히 이 언약을 지켜 숲속에 은거하여 함께 결사를 하게 되면, 마땅히 정혜定慧로 이름합시다."라고 훗날 결사 이름까지 만들며 그 뜻을 굳건히 하였다. 보제사 담선법회에서 도반들과 결의를 다진 지눌스님은 승직僧職에 나아가지 않고 돌연 지방으로 떠나게 된다. 지눌스님의 이와 같은 선택은 스님이 살았던 당시 시대상에서 찾을 수 있다.

무례한 무신정권, 속이 타들어가는 지눌스님

지눌스님이 유년기를 보낸 시기는 무신정권武臣政權이 막 들어설 때였다. 1170년 지눌스님 나이 12세에 정중부鄭仲夫, 이의방李義方, 이고李高를 중심으로 무인난武人亂 일어났고, 직후 강경파에 속했던 이의방과 이고 사이에 권력 싸움이 벌어졌다. 이때, 이고는 법운사法雲寺 승려 수혜修惠, 개국사開國寺 승려 현색玄素 등 사원의 무장 세력을 동원하여 이의방을 제거하려 하였다. 하지만 이를 알아차린 이의방은 채원蔡元과 함께 순검군巡檢軍을 시켜 이고를 먼저 제거하면서 정국의 주도권을 독점하게 된다.

당시 지배계층과 불교계는 밀접한 관계에 있었고, 이고를 비롯해 그를 따르던 세력과 친분이 두터운 승려의 숫자가 많았다. 그러니 승려들은 이의방이 그렇게 달갑지 않았고, 이를 모를 리 없었던 불교계는 1174년명종4 귀법사歸法寺, 중광사重光寺, 홍호사弘護寺, 홍화사弘化寺 등의 사원 세력들을 조직화하여 이의방 집권을 무너뜨리고자 하였다. 하지만 이의방의 부병府兵들에 의해 사원 세력은 진압되었고, 그로 인해 중광사, 홍호사, 귀법사, 용흥사龍興寺, 묘지사妙智寺, 복흥사福興寺 등의 사원이 소실되고 기물이 파괴되었다.

여러모로 당시는 불교지가 정치 세력들에 의해 부침을 심하게 겪는 시대였다. 그러다가 1174년명종4 12월 정중부의 아들 정균鄭筠에 의해 이의방이 제거되는데, 이때 종군승從軍僧 종참宗旵의 세력과 결탁하였으니, 정중부와 불교의 관계는 나쁘지 않았을 것이다. 이에 정중부는 보제사普濟寺를 중수하고 용암사龍巖寺와 용수사龍壽寺를 후원하는 등 불교에 옹호적이었다.

정중부가 세력을 잡은 것도 잠시였으니 5년이 채 되지 않아 정중부는 경대승에 의해 제거되는데[130], 그의 명분은 무신정권 이전으로 돌아가야 한다는 '복고復古'였다.

> 가을 7월. 중방重房에서 종참宗旵 등 10여 명의 승려를 섬으로 유배 보냈다. 예전에 종참 등은 정균鄭筠과 더불어 모의하여 이의방을 죽였고, 마침내 정균과 가까이하며 친하게 지내면서 후정後庭에 출입하는 것에도 거리낌이 없었다.
> 정균이 죽자 당시 무신이 모두 이의방의 휘하에 있고 또 군국軍國의 권력이 중방重房에 속하게 된 것은 모두 이의방의 힘에 연유한 것으로

여겼으므로 마침내 종참 등을 유배 보냈다.

『고려사절요高麗史節要』 권 제12 명종 10년 7월 조

재추宰樞·중방重房·대간臺諫이 봉은사奉恩寺에 모여 시장의 물가[市價]와 평두곡平斗斛을 정하고, 어기는 자는 섬으로 귀양 보내기로 하였다.

『고려사절요高麗史節要』 권 제12 명종 11년 7월 조

그 옛날 중국에서는 유교나 도교 측이 왕에게 예를 올리지 않는다고 하여 불교를 탄압하려 했던 적은 있었지만, 이처럼 정치권력 다툼에 스님을 유배 보내거나 사찰을 개인 업무 공간으로 사용했던 적은 없었다. 부처님과 스님께 예를 올리라고 강요하지도 않았건만, 자기들의 다툼 속에 끌어 들였다가 매몰차게 버리는, 그야말로 활용의 도구로만 여기는 무신정권의 무례함을 보면서 지눌스님은 과연 어떤 생각을 했을까? 12살 소년이던 시절부터 20살까지의 혈기 왕성한 나이에 이런 세상만사를 보면서 지눌스님은 정의를 생각했고, 부처님 법을 바로 세워 속세의 이 같은 작태를 바로잡아야겠다는 굳은 의지가 생겨났다.

비록 승과에 합격했지만 할 수 있는 일이라곤 세력 싸움에 편승하는 일밖에 없다는 생각이 들었다. 승려로서 부처님 법대로 살 수 있는 일을 찾는 것이 우선이라 생각한 지눌스님은 정치세력으로 가득한 도읍지를 떠나 조용한 지방으로의 길을 선택했다. 중국의 혜원慧遠스님이 속세를 떠난 승려는 사는 세상이 다르니 속세의 왕에게 반드시 예를 갖추지 않아도 된다는 논리를 펼치며 주장한 '사문불경왕자론沙門不敬王者論'도 생각났다. 이런 힘이 있는 주장을 할 수 있는 것도 스스로 부처님 법대로 살아가야만 가능하다는 생각이 들었다.

깨침을 얻은 지눌스님, 거조사로 향하다

부처님 법을 찾아서

　권력 싸움에 편승하지 않고 오롯이 부처님 법을 따르고자 했고, 이것만이 살길이라 생각한 지눌스님은 수행으로 모든 것을 제자리로 다시 돌려놓을 것을 결심한다. 개경을 떠나온 지눌스님이 처음으로 방문한 곳은 전남 전라남도 창평昌平, 지금의 담양군 창평면의 청원사淸源寺였다. 그곳에서 지눌스님은 『육조단경六祖壇經』을 읽다가 "진여자성眞如自性이 마음을 일으키니 육근[六根; 인간의 6가지 감각기관 및 감각 능력]이 비록 보고, 듣고, 냄새를 맡고, 맛을 보고, 피부로 느끼고, 생각하여도 모든 사물에 변화를 주지 못하며 진성眞性은 항상 자재自在하다."라는 대목에 이르러 전에 없이 기뻐하며 깨달았다. 이것이 지늘스님의 삼문체계三門體系 중 첫 번째 깨달음인 '성적등지문惺寂等持門'이다.

　청원사에서의 깨침을 얻은 1185년 명종 15 지눌스님은 하가산지금의 예천 학가산 보문사로 거처를 옮겼다. 이곳에서 스님은 3년 동안 대장경을 열람하였는데, 어느 날 스님은 『화엄경華嚴經』 「여래출현품如來出現品」의 "어리석은 중생 모두가 여래의 지혜를 조금도 모자람이 없이 다 갖추고 있다. 그럼에도 불구하고 중생은 자신 속에 여래 지혜가 있음을 알지도 보지도 못하고 있구나! 여래는 중생을 진리로 가르쳐서 반드시 여러와 조금도 다름이 없는 거룩한 지혜가 있음을 깨닫게 하리라."라는 구절에 이르러서 경책을 머리에 이고는 울음을 터뜨렸다.

　이후 스님은 중생들을 깨닫게 할 방법을 고민하던 중 이통현李通玄, 635~730 장자의 『신화엄경론新華嚴經論』을 읽고서는 화엄에도 돈오頓悟의 문이 있음을 알고 원돈의 길을 마련하게 된다. 이 깨달음이 지눌스님의 두 번째 깨달음인 원돈신해문圓頓信解門이다.

보제사에서 도반들과 결사를 약속한 후 10여 년 동안 지눌스님은 청원사와 보문사를 거치면서 두 번의 깨침을 얻었고, 이와 같은 깨침은 정혜결사의 준비 단계이자 토대가 되었다.

결사, 왜 거조사인가

지눌스님이 보문사에서 선교禪敎를 두루 수행하며 머물 때 득재得才스님이 찾아왔다. 득재스님은 개경 보제사 담선법회에 함께 했던 스님인데, 지눌스님의 거처를 수소문하고 다니다가 보문사에 머물고 있다는 소문을 듣고 찾아온 것이다. 득재스님은 "스님! 예전에 우리가 함께 하기로 한 약속, 이제 그 약속을 함께 시작하시지요."라며 공산의 거조사居祖寺에서 결사를 도모하길 청했다. 지눌스님은 『화엄경』을 읽고 눈물이 났던 그날이 떠올랐다. 여래의 지혜가 있는 중생들, 다만 그 사실을 알지 못하는 것뿐임을 깨쳤음에도 그들 곁으로 다가가 이를 알려주지 않을 이유가 없었다. 10년 전의 약속을 잊지는 않았으나 스스로의 깨침을 위한 시간 동안 그 약속을 잠시 미루어 두었다. 아니, 더 정확히 말하면 어떤 마음가짐으로 그 약속을 이행해야 할지 가늠하지 못했는데, 이제는 또렷해졌다. 다음날 해가 밝아오는 새벽, 지눌스님은 걸망 하나를 둘러매고 곧장 거조사로 향했다.

득재스님의 권유도 있었지만, 거조사는 결사지結社地로써 부족함이 없는 곳이라는 점도 지눌스님이 거조사로 향한 이유 중 하나였다. 먼저 거조사는 절을 둘러싼 세 면이 모두 산으로 되어 있고 유일하게 나 있는 외길마저도 좁아 방어와 은신에 있어 유리한 곳이었다. 지눌스님에게 이런 거조사의 지형은 수행처로 적절해 보였을 것이다. 그리고 결사를 도모하기 위해서는 먹고 사는 일 또한 중요하지 않을 수 없었는데, 거조사는 영천 민가들과 밀접해 있어 물류를 수급하기에도 유리한 곳이었다. 그리고 결정적으로 당시 영천은 교통의 요지였기에 결사를 위해 모이고자 하는 이들이 접근하기 쉬운 곳이었다.

지눌스님의 이러한 안목은 훗날 영천향교에서 "영천 지역은 예로부터 금호강 원류의 비옥한 토지에서 생산되는 농산물이 풍부한 곳"이라 기록한 것에서도 확인할 수 있다. 또 "잘 가는 말馬도 영천장, 못 가는 말馬도 영천장"이라는 속담에서 보이듯 사람들의 이동이 잦았던 영천의 거조사는 결사의 장을 열기에 여러모로 최적합지였다.

이처럼 거조사는 영천 지역이 풍부한 물산과 교통의 요지인 만큼 결사지로서 적합한 곳이었다. 지눌스님이 결사지로 거조사를 선택한 이유는 득재스님의 권유와 더불어 거조사의 지리적 유리함도 영향을 주었을 것이다.

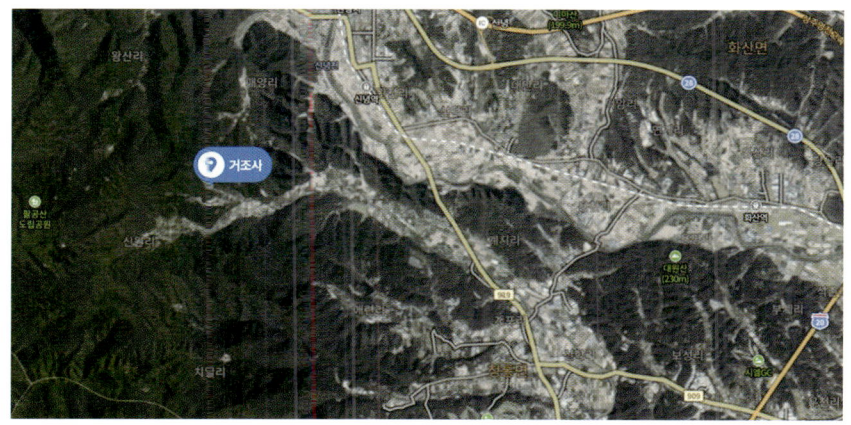

거조사 위성 사진 1

거조사 위성 사진 2

　물자와 교통 등 유리한 조건을 갖추었음에도 지눌스님이 거조사에 도착하자 결사를 약속했던 도반 스님 10여 명 가운데 불과 3, 4명밖에 보이지 않았다. 그럼에도 스님의 결사에 대한 의지는 꺾이지 않았다.

> "오늘 우리는 10년 전의 그 뜻을 실행하기 위해 모였습니다. 비록 그때 그 사람이 다 함께 모인 것은 아니지만, 이곳 거조암에서 선정禪定과 지혜智慧를 고루 익히고, 예불하고 전경轉經하고 나아가 일하고 함께 운력運力하여 심성을 수양하는데 자신을 오롯이 바칩시다."

　거조사에 모인 스님들은 비록 숫자는 적었어도 그 뜻은 굳건했기에 결사를 시작했다. 그리고 결사의 이름은 보제사 담선법회에서 했던 약속대로 '정혜사定慧社'라 하였다. 이렇게 해서 제1차 정혜결사가 거조사에서 시작된 것이다.

지혜와 자비의 공동체를 추구한 『권수정혜결사문』

거조사에 모여 결사에 들어간 스님들은 서로가 서로에게 힘이 되는 수행정진을 이어갔다. 밤과 낮을 잊고 계절을 잊었다. 그렇게 지눌스님이 거조사에서 결사를 시작한 지 2년 뒤인 1190년明宗 20 늦봄에 스님은 결사의 취지를 밝히는 『권수정혜결사문勸修定慧結社文』을 작성하여 세상에 배포하였다. 『권수정혜결사문』에는 당시의 시대적 어려움과 이를 불교적 실천으로 이겨내고자 했던 지눌스님의 남다른 의지가 보인다.

> 슬프다. 대저 삼계三界를 여의고자 하면서도 정작 번뇌를 끊는 수행은 하지 않는다. 몸만 남자일 뿐 장부의 뜻은 없다! 위로는 도를 넓히는데 어긋나고 아래로는 중생을 이롭게 하지 못하며, 가운데로는 네 가지 은혜四恩를 저버렸으니 참으로 부끄럽다. 내가 이 점을 깊게 탄식해 온 지 오래 되었다. 임인壬寅년 정월에 개성開城 보제사普濟寺의 담선법회談禪法會에 올라갔다. 하루는 도반 십여 명과 더불어 약속하기를,
> '이 법회가 끝난 후에 마땅히 명리名利를 버리고 산림山林에 은둔하여 함께 결사하자. 항상 선정禪定과 지혜智慧를 고루 익히는데 힘쓰며, 예불하고 전경轉經하고 나아가 일하고 함께 운력運力하는 데 이르기까지 각각 소임대로 살며, 인연을 따라 심성을 수양하여 한 평생을 구속 없이 지내면서 멀리 달사達士와 진인眞人의 높은 수행을 따른다면 어찌 기쁘지 않겠는가!'라고 하였다. 여러 도반들이 이 말을 듣고 말하였다. '지금은 말법末法의 시대라. 정도正道가 잠겨서 숨어버렸다. 어떻게 선정과 지혜에만 힘쓸 수 있겠는가. 부지런히 아미타불阿彌陀佛을 염송하여 정토淨土의 덕업德業을 닦는 편이 낫지 않은가!'

내가 말하였다.

"시대는 비록 흘러서 변하더라도 심성心性은 바뀌지 않는다. 법도法道가 흥망성쇠한다는 견해는 바로 삼승권학三乘勸學의 소견이다. 지혜 있는 사람은 응당 이와 같은 견해를 가져서는 안 된다. 그대들과 나는 최상승最上乘의 법문法門을 만나서 보고 듣고 훈습薰習하였다. 어찌 숙세의 인연[宿緣]이 아니겠는가! 그런데도 스스로 경사로 여기지 않고 도리어 분에 넘친다는 생각으로 삼승권학을 하는 사람이 되겠다고 한다면, 옛 조사들先祖을 저버릴 뿐만 아니라 끝내는 부처의 씨앗佛種마저 끊어버릴 사람이라 할만하다. 물론 염불念佛, 전경轉經, 만행萬行 등 모든 일은 사문沙門이 일상에서 지녀야 하는 법이므로 방해가 될 리 없다. 하지만 근본은 궁구窮究하지 않고 상相에만 집착하여 밖에서 구한다면 지혜 있는 사람으로부터 비웃음을 살까 두렵다."

『권수정혜결사문勸修定慧結社文』

지눌스님이 『권수정혜결사문』을 발표할 당시는 무인난이 일어난 지 20년이 지난 후였고 무인의 권력은 이의방, 정중부, 경대승을 거쳐 이의민에게 넘어갔던 시기였다. 20년 동안 권력이 네 번이나 바뀌면서 나라는 혼란스러웠고 불교계 또한 권력 당파성에 휘말려 온전치 못한 상태였다. 그래서 지눌스님과 주변 도반 스님들은 하나 같이 당시가 말법 시대라 공감하였다. 이에 몇몇 스님들은 '말법 시대에 정혜수행이 어떠한 의미가 있겠는가?'라며 '아미타불을 염하여 정토의 덕업을 쌓는 것이 옳지 않겠는가?'라고 하였다. 하지만 지눌스님은 이 의견에 반대하면서 정혜수행을 통해 부처님의 지혜와 법을 구하고 이 지혜를 구함으로써 중생을 구제하는 일을 행해야 함을 분명히 하였다.

> 이와 같이 허망한 자타自他의 경계에서 그 근본 연유를 살펴서 한쪽으로 쏠리지 않아 온몸을 고요하게 하고, 마음을 성성처럼 굳게 지켜서 밝게 비춤[觀照]을 증장시키면, 고요하여 돌아갈 곳이 있고 활연하여 간격이 없다. 이때가 되면 애증이 자연히 묽어지고 자비와 지혜가 자연히 더욱 밝아지며 죄업罪業이 자연히 끊어지고 공행功行이 자연히 증진된다. 그래서 번뇌가 다하면 생사가 끊어진다.
>
> 『권수정혜결사문勸修定慧結社文』

선수행을 닦는 것은 곧 지혜를 닦음과 같은 것이니 지혜가 밝아지면 자비심과 자비행은 자연히 흘러나오는 것이라 지눌스님은 말한다. 지눌스님의 정혜결사운동은 단순히 선수행을 통해 자기 안식安息을 얻겠다는 것이 아니라 선수행을 통해 지혜를 밝히고 그 지혜를 통해 만백성의 아픔과 함께하여 부처님이 그러했듯이 자비로써 주변의 아픔을 위로하고자 했던 것이다. 만백성의 아픔을 함께하고 위로하자는 『권수정혜결사문』의 취지에는 선종禪宗과 교종敎宗의 분별이 없음은 물론이고 타 종교 및 사상에 대한 경계 또한 없었다.

> 바라건대 선종, 교종, 유교儒敎, 도교道敎 할 것 없이 세속에 염증을 앓는 고인高人이 티끌 세상을 훌훌 벗어버리고 세상 밖에서 고아하게 노니면서 안으로 수행하는 도에 전념하여 이 뜻에 부합하면, 비록 지난날 결사를 약속했던 인연은 없더라도 결사문結社文 뒤에 이름을 넣기를 허락하고자 한다. 그들이 미처 한자리에 모여 수행하지는 못했더라도 항상 망념을 거두어 들여 관조하기를 힘써 바른 인연을 같이 닦고자 한다.
>
> 『권수정혜결사문勸修定慧結社文』

정혜결사에서 보여준 포용성과 개방성은 당시 분열되어 어지러웠던 기득권에게 일침과 같았다. 이러한 지눌스님의 진심이 전해져서일까. 『권수정혜결사문』이 세상에 배포된 이후 결사에 동참하고자 하는 이들이 거조사로 점차 모여들기 시작하였고, 종국에는 그 수가 너무 많아 거조사에 수행할 공간이 부족할 지경에 이르렀다. 당시 거조사에는 『권수정혜결사문』의 뜻에서도 볼 수 있듯이 유·불·도儒·佛·道 삼교三敎 모든 수행자가 모여있었을 터이니 그 광경이 참으로 이색적이면서 경건했을 것이다. 이렇게 해서 거조사에서 시작된 10년간의 제1차 정혜결사는 대성공을 이루었고, 이후 더 큰 결사 수행처가 필요했던 '정혜사定慧社'는 지금의 순천 송광사로 옮겨 제2차 정혜결사를 이어갔다.

정혜결사 당시의 거조사 상상도

3. 중생불국의 염원을 담은 공산公山

구산선문 부흥의 낙처落處, 인각사

어머니를 떠나보내는 일연스님

고려 충렬왕 시기, 국존의 위치에 있던 일연스님은 나라를 걱정하는 만큼이나 연세가 드신 어머님이 홀로 계심을 걱정했다. 국존으로서 하루의 일과가 끝나면 촛불 아래서 홀로 고향을 향해 앉아 눈물을 흘리곤 했다. 이 모습을 여러 차례 목격한 충렬왕은 일연스님이 고향에 돌아갈 수 있도록 해드렸다.

고향에 돌아온 일연스님은 어머니를 극진히 모셨는데 다음 해, 어머니는 일연스님의 손을 잡고 "어디 품에 오래 머물지 않고 훌쩍 출가한 스님이 원망스럽기도 했고, 대견하기도 했소. 그게 어미 마음이요. 그래도 어미 가는 길, 마지막을 곁에 있어 주어 고맙소. 스님! 마지막 품은 뜻, 꼭 이루길 죽어서도 기원하리다."라는 마지막 말을 남기고 조용히 눈을 감았다.

어머니의 유언을 듣고 조용히 어머니를 보내드린 일연스님은 어머니 품을 떠났던 그 시절이 떠올랐다.

일연스님 ⓒ삼성현역사박물관

일연스님의 회상

'14살 때였던가. 가지산문迦智山門을 개창開倉한 도의선사道義禪師가 머물며 후학을 양성하던 곳인 설악산 진전사陳田寺의 대웅장로大雄長老를 찾아가 삭발하고 구족계를 받았다.

진전사로의 출가로 가지산문의 일원이 된 후 여러 선방을 다니며 수행을 이어갔었지. 다만 열심히 선 수행을 하였을 뿐인데 여러 선각자와 도반들은 나에게 구산선문 '사선四禪의 수장'이라는 무거운 짐을 지어주기도 했어. 공부도 수행도 아직 멀었다고 느끼고 있던 나에게 '사선의 수장'은 참으로 버거운 일이었어.

천태종이 창종된 이후 그 세력이 날로 번창하고 반대로 선종은 쇠락의 길을 걷고 있었으니, 선을 마지막까지 지키고자 했던 마음으로 자리를 지켰던 기억도 떠오른다.

나름 필요하다 생각해 승과 시험도 치렀었지. 선 수행자라고 하여 경전을 보지 않는 것이 아닌데도 좌선만 하는 구닥다리 취급을 하는 것 같아 시험도 치러보고 높은 점수에 걸맞는 지위도 받았다. 하지만 돌이켜 생각해보니 그게 다 무슨 소용인가 싶고, 오로지 나의 수행이 전부였다.

어머니 계시던 고향 땅과 멀지 않은 포산包山에 가서 수행을 시작했던 것이 떠오른다. 그래, 그때는 간화선이 궁금하여 수행에 집중했었지. 54살 되던 해, 대선사의 법계에 오르며 강화도 선월사禪月寺의 주지가 되어 법회를 열고 보조지눌普照知訥스님의 사상을 이어받았음을 공표하기도 했어. 그러나, 지눌스님의 사상을 이어받았음을 알렸을 뿐이지, 내 승적은 여전히 가지산문에 있었어.

그리고 지눌스님의 사상을 이어받음을 공표했던 법회 말고 또 다른 큰 법회도 떠오른다. 몽골의 침입으로 불에 타버린 초조대장경을 다시 새긴 재조대장경再雕大藏經의 낙성법회였지. 조판이 완성으로 펼쳐질 법회는 여러 사정으로 인하여 7년이 지나 올리게 되어 많은 사람이 조바심도 냈고, 걱정도 많이들 했더랬어. 그때 증명법사證明法師 역할을 하면서 가지산문의 중심적인 역할을 할 수 있는데도 난 대체 무엇을 했던 것일까?'

구산문도회, 선문 전체를 아우르다

일연스님의 어머니가 돌아가셨다는 소식을 들은 충렬왕은 다시 국존의 위치를 지켜주십사 청했다. 일연스님은 어머니의 마지막 말씀인 '마지막 품은 뜻'이 귀에 메아리쳤다. 그리고 살아온 세월을 회상해 보니 이 땅의 선사로서 이제 무엇을 해야 할지 명확해지는 것이 있어 충렬왕에게 뜻을 이야기했다. 일연스님의 말씀을 들은 충렬왕은 스님의 뜻이 꺾이지 않을 것임을 느끼고 스님이 머물던 군위의 인각사麟角寺를 공식적으로 스님의 하안소下安所로 정하고, 기거하심에 불편함이 없도록 예를 다했다.

스님은 그날부터 바삐 움직였다. 구산문도회九山門都會를 중심으로 선종의 종파를 정비하는 일을 시작했기 때문이다. 구산문도회가 결성된 간접적 배경에는 천태종이 있었다. 천태종이 창종된 이후 구산선문 소속의 승려 60% 이상이 천태종으로 귀속하며 선문이 점차 쇠퇴하기 시작하였다. 이를 극복하기 위한 선문의 몸부림은 정혜결사로 이어졌다. 정혜결사 과정에서도 천태종은 스스로 중흥을 외치며 불교계에 새로운 바람을 불러일으켰다.

선종 내부에서는 또다시 위기감을 느끼기에 충분하였고 선문禪門 간의 결속에 필요성이 대두되었다. 이러한 여파는 선종의 스님들이 모여 참선을 하고 선에 대한 이치를 깨닫기 위한 법회인 담선법회談禪法會가 크고 작음을 중요시 하지 않고 각지에서 이어지며, 선문의 승려들은 강의와 토론을 통해 수행의 본분을 찾고자 노력하였다. 이러한 노력은 당시 선문의 전체를 망라하는 구산문도회로 이어졌다.

인각사 극락전

 구산문도회가 인각사에서 선문 전체를 아우르는 역할을 할 수 있었던 배경에는 일연스님이 있었기 때문이다. 모든 종파를 아우르는 스님의 역량과 명성을 더 널리 알리게 된 '재조대장경 낙성법회'가 계기가 되어 선문의 중심축 역할을 하게 되었다. 이뿐만 아니라 충렬왕이 예를 다해 일연스님의 하안소인 인각사를 보필하고 있었기 때문에 구산문도회가 활동할 수 있는 경제적 여유를 갖추고 있었다.

 이처럼 만들어진 구산문도회는 선禪의 우수성을 통해 구산선문의 사상적 교류와 통합을 시도하면서 동시에 선문의 결속이라는 명제를 고민하기도 하였다. 구산문도회는 가지산문을 중심으로 선문의 화합을 이루고자 하는 일연스님의 마음이 담겨있었으니 두 번에 걸친 야단법석의 장을 마련하며 구산선문의 부흥을 이끌고자 하였다.

 비록 계보가 아닌 사상의 흐름을 이어받기는 했지만, 부처님과 조사의 말씀을 바르게 이해하고자 했던 지눌스님의 뜻은 구산선문을 부흥시켰던 일연스님의 노력과 다르지 않다. 또 중생구제를 위한 길을 걸었던 원효스님과 민중을 위해 『삼국유사三國遺事』를 지은 일연스님의 원력이 다르지 않으니, 성인의 반열에 오르지 않을 수 없었을 것이다.

일연을 낳아 비로소 삼성三聖이 되다

삼성현의 고장 경산

경산은 금호강이 중앙부를 동에서 서로 흐르고 있어 하천 주변의 평야에 비옥한 토지를 갖고 있고, 팔공산의 동쪽과 이어져 은해사와 연결된 수많은 불교 문화유산을 접하고 있다. 부족국가 시기에는 압량押梁, 압독押督 등의 소국이 지역문화를 형성하고 있었으며 이후 신라에 편입되었다. 삼국이 경합을 벌이던 시기에 서쪽으로 백제, 북쪽으로 고구려로 통하는 길목에 있어 중요한 군사적 요충지였으니 신라는 김유신을 압량주의 군주로 삼아 경주로 들어오는 이곳을 방어하게 하였다고 한다. 이러한 연유로 이곳에 많은 사람이 모여 살았으며 교통과 물류의 요지로 발전되어 갔다. 신라 경덕왕 대에 이르러 여량현餘糧縣, 자인현慈仁縣, 해안현解顏縣의 세 곳을 영현領縣으로 두며 장산군獐山郡으로 승격되니, 이 지역이 신라로서는 매우 중요한 자리였음을 설명하고 있다. 고려 충선왕 때 왕의 휘諱를 피하여 경산으로 고쳐졌으며, 충숙왕 때 국존國尊이었던 일연스님을 기리기 위하여 현령관縣令官으로 승격되었다.

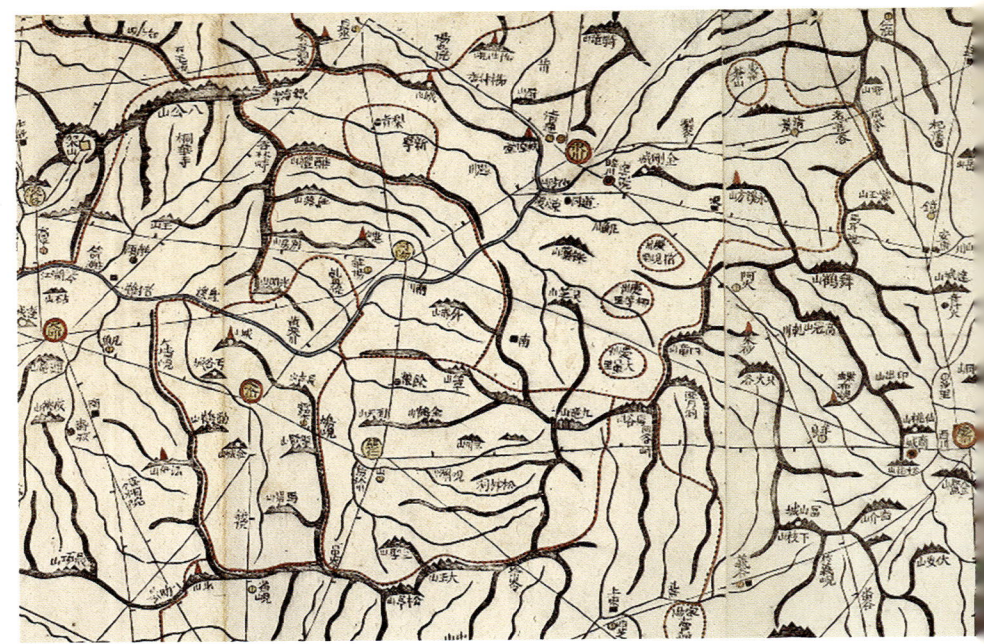

대동여지도 ⓒ서울대학교 규장각

경산은 예부터 세 분의 성현聖賢을 배출한 지역으로 알려져 있다. 한국불교의 대중화를 이끌었으며, 해동海東의 부처님이라고 불리던 화쟁국사和諍國師 원효元曉스님, 이두吏讀를 집대성하여 유학 경전을 한국 사회에 널리 보급하였던 홍유후 설총弘儒侯 薛聰, 한국 고대사 연구의 중요한 자료인 『삼국유사三國遺事』를 집필한 보각국사 일연一然스님. 이 세 분의 성현이 태어나고 성장한 곳으로 알려져 있기 때문이다. 경산 남쪽의 상대리에 있는 산자락 아래에서 세 분의 성인이 태어났다고 하며 이 세 분의 성현을 기리기 위하여 삼성산三聖山이라 불리고 있다.

세 분의 성현이 태어나 수행하고 머물렀던 사찰들은 은해사와 본·말사의 인연으로 연결되어 있다. 원효스님이 태어난 자리에 지어진 제석사帝釋

寺와 본래의 집이 있던 자리에 출가하며 세웠다고 전해지는 초개사, 의상스님과 당나라로 떠나던 중 해골에 든 물을 마시고 깨달음을 얻은 후 돌아와 수행처로 머물렀던 오도암, 수행을 마치고 보살행을 실천하였던 반룡사 등이 있다. 특히 반룡사는 설총이 유년시절을 보냈다고 한다. 일연스님은 말년에 인각사를 하안소로 삼았으며 이곳에서 『삼국유사』의 집필을 끝냈다고 전해진다.

『삼국유사』에서 원효를 기리다

인각사에서 일연스님에 의해 집필된 『삼국유사』는 고조선부터 후삼국까지의 이야기를 모아 편찬한 역사서로 5권 2책으로 구성되어있다. 4권 「의해義解」편에는 원효불기元曉不羈 조가 기록되어 있어 원효스님과 설총의 이야기가 펼쳐져 있다. 경산 출신인 일연스님이 어려서부터 원효스님의 이야기를 듣고 보며 자랐으니 남다른 관심을 품는 것은 당연하였을 것이다.

이러한 관심은 『삼국유사』 안에 서술된 원효스님에 대한 자세한 서술로 드러난다. 원효스님의 이야기는 「의해」편에 서술된 원효불기 조를 비롯하여 모두 아홉 군데에서 나타나고 있다. 특히, 원효불기의 내용은 같은 지역민만이 알 수 있을 법한 이야기가 주를 이루고 있다. 또한, 첫 장에는 성사원효聖師元曉라는 호칭으로 표현하고 있는데 이는 일연스님에게

삼국유사_손진태 필사본 ⓒ삼성현역사박물관

있어서 원효스님이 매우 특별한 존재였으며 각별하게 존경하고 있었음을 잘 나타내고 주고 있는 장면이며, 이러한 존경의 마음은 인각사를 하안소로 삼게 된 이유로 볼 수도 있다.

일연스님은 평소 경산과 신라를 대표할 수 있는 원효스님의 행장이 매우 미비했음을 안타까운 마음으로 고민하며 행장을 보완하여 기록으로 남기고자 하는 마음이 간절하였다. 이에 원효스님에게서 시작되어 설총을 거쳐 내려온 경산 삼성의 이야기는 일연스님의 『삼국유사』에 펼쳐지며 완성되었으니, 일연스님이 경산에 태어남으로써 삼성의 이야기가 완성되었다고 볼 수 있으리라.

삼성三聖의 꿈은 『삼국유사三國遺事』가 되고

『삼국유사』는 일연스님의 만년에 집필되었다. 운문사雲門寺에 머물던 70대 후반에 집필을 시작해 84세로 입적하기 전까지 약 14년에 걸친 시간 동안 일연스님은 『삼국유사』 집필에 몰입했다.
『삼국유사』는 비슷한 시기를 기록하고 있는 『삼국사기三國史記』와는 다른 독창적 면모를 갖춘 형태로 기록되어 있다. 스님은 『삼국유사』를 저술하며 왕과 귀족이 중심이 되는 역사보다는 생명을 소중히 하는 불교적 정신을 통한 뭇 생명에 대한 존중심과 이 땅을 살아가는 민중들의 이야기를 기록으로 남기기를 원하는 마음이 있었다. 어쩌면 이 기록은 원효스님 일생의 원력인 '귀일심원 요익중생歸一心源 饒益衆生, 일심의 근본을 깨달아 중생을 이롭게 한다.'과 이 땅에 사는 모든 이들이 글을 읽을 수 있게 하겠다는 홍유후 설총弘儒侯 薛聰의 원력을 본받아 이 땅에 불교를 신앙하는 모든 이들을 위한 역사를 서술하고 싶었는지도 모르겠다.

이러한 깊은 의미를 품은 까닭에 『삼국유사』는 숭유억불이 통치 기반을 이루고 있던 조선에서 조차 암암리에 남겨져 전해올 수밖에 없었으며, 시대를 기록한 정사正史보다는 신화와 전설을 통해 민중의 삶을 기록한 야사野史로 인식되어 전해지고 있다. 『삼국유사』의 간행은 조선에 이르러서도 계속 이어졌다. 조선 초기에 발간된 것으로 보이는 석남본石南本과 송은본松隱本이 현존하고 있으며, 중종 7년에 경주부윤 이계복李繼福에 의해 중간된 중종임신본中宗壬申本 또는 정덕본正德本 역시 현존한다.

「삼국유사三國遺事」 ⓒ문화재청

조선의 숭유억불 정책에 의해 잊혀질 것만 같았던 『삼국유사』는 임진왜란 때 약탈당해 동경제국대학에 소장되어 있던 판본이 일본에서 관심을 받게 되자, 이를 접한 육당 최남선六堂 崔南善, 1890~1957에 의해 우리 땅에서 새롭게 조명되었다.

최남선은 "만약 나에게 『삼국사기』와 『삼국유사』 둘 중 하나를 선택하라면 서슴지 않고 『삼국유사』를 선택하겠다."라고 말하며 『삼국사기』에는 누락되어 볼 수 없는 사람들의 이야기를 소중하게 생각하였다. 이로 인해 폐허에 가깝던 인각사는 발굴 작업을 통해 대가람의 면모로 새롭게 바뀌어 가고 있다.

　최근 경산에서는 세 분 성현의 유지를 이어가고자 하는 움직임으로 '삼성현역사문화공원'을 조성하였고, 군위군은 주민의 의견을 수렴해 인각사가 있는 행정구역인 고로면을 '삼국유사면'으로 명칭을 바꾸었다. 또 『삼국유사』에 들어 있는 단군신화, 만파식적, 연오랑세오녀 이야기 등을 새롭게 구현한 '삼국유사 테마파크'를 조성하여 『삼국유사』의 소프트웨어적인 부분까지 구현하기 위해 노력하고 있다. 이러한 노력은 단순히 지역 발전에 그치는 것이 아니 역사와 현재가 공존하는 세계적 모델로 성장할 수 있게끔 도시를 브랜드화 하는 것이기도 하다. 일연스님의 민중을 위한 마음이 지금의 한 도시를 바꾸는 계기로 작용하고 있는 것이리라.

은해사 전경

제3장
불은佛恩의 묘법해妙法海,
은해사銀海寺로 자리잡다

學徒如初不變心
千魔萬難愈惺惺
直頭敲出虛空髓
拔却金剛腦後釘
突出眼睛全體露
山河大地是空華

도를 배우려는 뜻 처음과 같이 변함없고
천만가지 어려움도 깨닫고 깨달았네
곧 바로 허공을 두드려 골수骨髓를 내고
뇌 뒤에 꽂힌 금강창金剛槍을 뽑아 버리니
돌연히 눈앞에 나타난 우주宇宙 전체
산하대지가 바로 공화空華인 것을

은해사 심검당尋劒堂 | 글_고봉원묘스님

1. 왕실은 불은佛恩에 가피를 구하고
: 인종 태실을 품고 공산본사公山本寺가 되다

공산에 인종의 태실을 품다

중종은 산실청産室廳 주변을 몇 바퀴째 돌고 있다. 왕후가 산실청에 들어간 지 어느덧 하루가 다 되어가는데 아직 아이 울음소리가 들리지 않고 있다. 중종은 조바심을 이기지 못하고 산실청에서 나오는 나인을 잡고 소식이 있는 것인지 물었다

나인은 "전하, 조금만 기다리옵소서. 이제 곧 아기씨가 나올 것 같습니다."라고 답하는 순간, 산실청 안에서부터 우렁찬 다기 울음소리가 들려왔다.

얼마나 기다리던 첫 아이인가. 중종이 그렇게나 기다리던 아이가 바로 훗날 조선의 12대 왕에 오르는 인종이다. 1515년중종 1) 아들 호岵가 태어나자, 중종은 세상을 다 얻은 듯했다. 호의 나이 5세가 되던 해인 1520년에는 세자로 책봉했다. 세자로 책봉된 호의 탯줄과 태반은 조선 왕실에서도, 조선 전체에서도 매우 소중한 것이었다. 그러니 호의 탯줄과 태반 역시 소중하게 모셔질 필요7- 있었다. 그래서 세자로 책봉된 다음 해인 1521년중종 16 영천의 백흥암과 운부암 사이의 평지에 태실을 설치하였다.

인종태실 ⓒ국립대구박물관·은해사성보박물관

우리나라에는 신라 이후 이어져 온 생명을 중시하는 문화인 장태藏胎라는 제도가 있다. 갓난아기의 생명줄인 탯줄 혹은 태반을 소중하게 보관하는 제도로, 왕실에서는 나라의 무궁한 번영과 안녕을 기원하는 의미를 담아 중요한 의식으로 다뤘다. 조선의 왕실에서도 이런 의미를 담아 아이가 태어나면 각자의 태실을 두었다. 태실이란 왕족의 태반을 묻은 석실石室로 왕실의 자손이 태어나면 의식과 절차를 거쳐 태를 묻은 시설을 말한다. 이처럼 왕실에서 태를 신성시한 것은 태가 생명선이며 인생의 출발이라고 인식했기 때문이다.

왕세자가 왕위를 승계하면 태실가봉胎室加封이라고 하여 태실 주변에 난간석과 비석 등을 새로 조성하는 의식을 갖는다. 세자 호의 태실은 이미 설치되었고, 명실상부 왕좌에 올랐기에 백흥암과 운부암 사이에 있던 태실은 태실가봉으로 새롭게 단장되었다. 이때가 1546년명종 1으로, 그 뒷산 봉우리를 태봉胎峯 혹은 태실봉胎室峯으로 삼았고, 은해사는 태실을 수호하는 수호사찰로 지정되었다.

그렇다면 인종의 태실은 왜 영천에 있는 팔공산 자락을 선택하여 조성하였을까? 중종 대에 훈구파 대신이었던 정광필은 그간의 태실 설치로 인한 여러 폐단을 말하며 태실을 설치할 장소를 선정함에 신중해야 함을 상소하였다.

> "원자元子의 태봉胎封은 가리지 않을 수 없겠으나, 이 때문에 그 폐단이 그대로 계속되어 온 지 이미 오래되었습니다. 또 반드시 집도 없고 전지도 없는 곳에 터를 잡는다면 백성에게도 억울한 일이 없을 것입니다. 또 경기京畿에서 가릴 만한 곳이 없으면 하삼도에 지리관地理官을 보내어 감사와 함께 돌면서 가리게 하는 것도 경솔히 하는 방법은 아닐 것입니다."
>
> 『중종실록中宗實錄』 권 제30 중종 12년 11월 23일 을미 조

조선시대 태실의 설치는 어느 한 지역에 국한되어 있지 않았으며, 관상감 설치 후 입지 조건에 따라 후보지를 골라 이에 따라 태실을 선정하였다. 다만, 첫째 아들 호에 대한 각별한 정이 남달랐던 중종은 아들이 무탈하게 자라 무사히 왕위를 계승해 성군이 되길 바라는 마음이 컸기에 태실 선정에 많은 신경을 썼다. 그도 그럴 것이 아들 호는 태어난 지 6일 만에 어미를 잃은, 열 손가락 중 가장 아픈 손가락이었다. 어미 잃은 아들을 보는 아비의 심정과 더불어 왕위 계승까지 바람막이가 되어줄 왕후가 없다는 것이 중종은 항상 마음에 걸렸다. 그러니 태실을 정함에 있어 중종은 어머니의 사랑도 모른 채 자라날 아들 인종이 항상 건강하기를 바라는 마음을 담아 전국의 땅을 수소문해 명당을 찾고자 하였다. 이렇게 찾은 곳이 바로 팔공산 주변이었다.

풍수지리설에 태실을 모시는 최상의 조건은 '땅이 반듯하고 우뚝 솟아 하늘을 받치는 듯해야 한다.'라고 전해진다. 실제 태실가봉이 설치된 뒷산은 이와 맞는 전형적인 태실 명당의 형태로, 하늘로 솟는 강한 기운을 받아 태주胎主의 무병장수를 바라는 의미를 담을 수 있는 '산중돌혈山中突穴'의 장소였다. 산중돌혈은 산중에 작은 봉우리가 솟아있는 형태의 지형을 말한다.

중종이 병들자 인종이 수발을 들다

세자의 자리에 있는 동안 가장 든든한 버팀목이자 사랑을 듬뿍 주던 중종이 병들자, 효심이 지극했던 인종은 잠을 편히 잘 수 없었다. 아버지가 드실 약을 먼저 맛 보아 이상이 없는지를 살폈고, 직접 수발을 들었다. 한겨울에도 저녁부터 새벽까지 아버지 곁에 머물며 병이 빨리 쾌차하시길 기원했다. 그러나 중종은 끝내 자리에서 일어나지 못하고 죽음을 맞이한다.

중종이 승하하자, 세자는 다섯 달 동안이나 곡기를 끊다시피 하며 아무 것도 먹지 않았고, 눈물을 흘리며 슬퍼하니 그 울음소리가 그칠 날이 없었다. 부왕을 잃은 슬픔은 인종의 몸을 극도로 쇠약하게 만들었고, 슬픔 속에

9개월 남짓 왕으로의 시간을 보낸 채 죽음을 맞이했다.

왕실의 번영과 태주의 무병장수를 기원하며 설치된 태실과 태실가봉이 인종 사망 이후에 비로소 조성되었으니 화려한 태실은 인종의 슬픔이 깃들어진 태실이 되었다.

불은佛恩에 가피加被를 구하다

불교가 동아시아 세계에 들어온 이후, 지역·국가와 관계없이 대부분의 왕실은 소위 왕실 원찰이 있었다. 숭유억불崇儒抑佛이라는 정치적 이념을 갖고 있었던 조선시대에도 특정 사찰을 지정하여 왕실의 안위를 기원하고자 하였다. 왕의 초상을 모시거나 태실을 봉안한 사찰을 원당으로 지정하여 왕실에 대한 부처님의 가피加被를 구하였고, 사찰은 국태민안國泰民安을 기원하는 왕실 원찰로서의 역할에 최선을 다했다. 해안사 역시 그러했는데, 태실 수호사찰로서의 사격을 높이기 위해 왕실에서는 대대적인 중창 불사를 지원했다.

인종이 왕위에 즉위한 1545년인종 1 운부암 아래에 있던 기존의 해안사가 화재로 소실되었다. 해안사를 원래의 위치에 다시 지으려 하자, 어른 스님들은 이를 극구 말렸다. "지금의 자리도 좋지만, 이는 태실수호 사찰 이전에 본 자리오.

1872년 영천군 전도 ⓒ서울대학교 규장각

지금은 그때와 상황이 다르니, 태실가봉으로 들어오는 입구에서부터 태실을 보호하는 형국으로 태실봉 아래로 해안사를 안치하는 것이 좋을 듯하오. 게다가 상용암上聳庵에 머물던 홍진국사弘眞國師께서 '이곳에서 내려다보니 소나무와 잣나무가 울창한 즈음에는 장차 대가람이 열릴 보배로운 터전'이라고 말씀하시었었소."라고 하였다.

해안사의 중창은 팔공산이 태실이 설치될 곳으로 선정된 이후 왕실의 지원 아래 이뤄진 불사였다. 이는 숭유억불을 통치이념으로 하는 당시의 시대적 상황을 고려한다면 왕실의 배려 없이는 불가한 일이었다. 중종 대에 왕실이 지원하는 사찰의 중창이 없지 않았으나 은해사와 같은 대규모 불사는 보이지 않는 것이 그 이유이다. 왕실이 은해사를 특별한 시선으로 바라보며 불은佛恩에 가피加被를 구하고자 하는 의지가 강했음을 반영한다. 이때까지 해안사라고 불리던 사명이 공식적으로 은해사銀海寺라고 불리는 공산본사公山本寺의 시작을 알리고 있다.

2. 해안海眼의 뜻을 이어받아 은해銀海로 나아가다

해안사海眼寺로부터 출발한 은해사銀海寺는 사실 지금의 장소에 창건된 것이 아니다. 해안사는 팔공산 동쪽 한 기슭 3간 평에 이르는 평지인 '해안평海眼坪'에서 출발하였다.

은해사 구지 해안평으로 추정 ⓒ2015 한국의 사지 현황 조사·보고서 下

은해사 구지 산포 유물 ⓒ2015 한국의 사지 현황 조사 보고서 下

해안평에 자리하고 있었던 해안사가 지금의 은해사 터로 옮겨 은해사가 된 것은 해안사가 화마로 소실된 후 명종 1년1546에 이르러 중건되었을 때

제3장_불은佛恩의 묘법해妙法海, 은해사銀海寺로 자리잡다 **117**

부터이다. 사찰이 소실되었다가 중건할 때는 그 사찰이 본래 있었던 자리에 중건하는 것이 일반적이지만 해안사는 터를 옮겨 중건되었다. 여기에는 분명 어떠한 사정과 의미가 있음이 틀림없는데, 이는 사찰의 역사를 담은 사료史料를 통해 엿볼 수 있다.

> 조선 인종 을사년1545에 해안사가 화재를 당해 사지와 보물들이 모두 잿더미가 되었다. 명종 병오년1546에 천교화상이 내탕금內帑金을 하사받은 은혜를 입어 지금의 자리로 절을 옮겨 세우고 은해사銀海寺로 이름을 바꾸었으니, 이는 모든 암자를 한데 모아諸庵 그 뜻을 은해銀海라 취한 것이다.

「팔공산은해사사적비八公山銀海寺事蹟碑」

은해사와 은해사 산내 암자 위성 지도

해안사가 화재를 당해 소실된 이후 이를 안타깝게 여긴 왕실에서 내탕금을 내려 지금의 은해사 자리에 중건하였다. 그때 사찰의 이름도 '해안사'에서 '은해사'로 바꾸었다고 기록되어 있다. 그리고 '은해'라는 사명은 산내 모든 암자를 아우른다는 의미를 담았다 한다.

여기서 잠시!

「팔공산은해사사적비」를 따라 가면 16세기에 비로소 '은해사'라는 사명을 사용한 것이지만, 고려시대 기록에도 '은해사'라는 이름이 보인다.

> 평소에는 조용히 거처하며 자제子弟들과 말하기를, "우리 고향桑梓鄕에는 '은해銀海'라는 이름의 절이 있는데, 위치가 수려하고 탁 트여 한적하니 티끌이 미칠 수 없다. 나는 세상의 영화를 잊고 그 사이에 돌아가 늙고 싶구나."라고 하였다.
>
> 「이탄지 묘지명」고려 의종 6년1152 묘지명

모두를 한데 모은다는 의미, 부처님의 법을 볼 수 있다는 깊은 의미가 담긴 '은해'는 그 어떤 불교 경전에도 등장하지 않는 용어다. 「팔공산은해사사적비」의 기록은 '은해'의 깊은 속뜻을 과거의 '해안'과 동일한 의미였음을 알고 있다는 차원에서 기록한 것은 아닐까? 억불의 시대임에도 불교는 굳건히 그 명맥을 이어가고 있고 부처님 법을 볼 수 있는 '혜안慧眼'이 이곳 은해사에 여전히 있음을 천명하고 있는 듯하다.

위성 지도상으로 보면 알 수 있듯이 은해사는 모든 산내 암자로 들어가는 입구 역할을 하고 있다. 다시 말해 은해사를 통하지 않고서는 운부암, 백흥암, 묘봉암 등 산내 암자로 갈 수 없는 것이다. 이렇게 보면 은해사가 큰 틀에서는 모든 암자를 끌어안고 있는 형태를 취함과 동시에 산내 암자를 지켜주는 수장守將의 역할을 하고 있음을 알 수 있다. 은해사와 관련된 모든 사적비 및 문헌들에서 은해사와 더불어 산내 암자를 일일이 열거하고 있다는 점에서도 은해사와 산내 암자의 깊은 유대감과 관계성을 알 수 있다.

해안사 모습 상상도

　이처럼 '은해'라는 사찰명은 모든 암자를 안는다는 의미이다. 이러한 '은해'의 의미는 은해사의 옛 이름인 '해안海眼'에서도 찾아볼 수 있는 대목이다. '해안'은 '샘의 눈, 샘물의 근원'이라는 함의를 품고 있는데, 실제로 해안사가 자리하고 있었던 해안평 일대의 계곡은 공산 동쪽의 깊은 산줄기에서 비롯된 계류가 1년 365일 내내 이어진다. 이는 팔공산 동쪽 기슭에 있는 모든 물水이 흘러 솟아난 결과이다. 즉, 팔공산 동쪽의 모든 물을 끌어안고 솟아 나는 샘물처럼 해안사는 팔공산 동쪽 모든 사찰과 암자들을 안아 품는 의미가 있는 것이다. 마치 부처님의 지혜와 광명이 온 세상을 밝게 비추듯, 부처님의 법과 자비가 모든 중생을 끌어안듯 말이다. 또 '은해'로 사찰명을 바꾸었지만 '해안'의 의미를 그대로 품어 공산 안에 있는 태실뿐만 아니라 산내 암자를 끌어안고 있는 모양새와 의미를 지니고 있는 것처럼 말이다. 은해사는 산내 암자를 품는 수장으로서의 역할을 다하며, 그 옛날 소나무가 성성하여 대가람을 이룰 것이라는 홍진국사의 예언처럼 여전히 국태민안을 기원하면서 우리의 삶을 어루만져 주고 있다.

은해사 사명寺名에 대한 또다른 이야기

'은해銀海'라는 사명寺名의 또 다른 해석은 이학래가 쓴 『은해사연혁변』1879에서 찾아볼 수 있다.

> 지원至元 원년1335 상호군上護軍 안자유安子裕 등이 원元의 수도인 연경燕京에서 돌아와 천후원의 황후께서 이지를 현으로 회복시키라고 하였다며 복명하기를
> "영천의 이지은소梨旨銀所는 옛날에는 현이었으나 중간에 고을 사람이 나라의 명을 어겼다 하여 현을 폐하고 백성들의 자산을 몰수한 뒤 백금을 세금으로 부과하여 은소銀所로 불린 지가 오래되었다. 지금 그 고장 출신인 나수邢壽와 야선불화也先不花는 어려서부터 궁궐에 환관으로 있으면서 심부름하는 노고를 많이 쌓았으니, 그 공로에 따라 그들의 고향을 승격시켜 현으로 복구하라"라 하였다.
> … 이지은소梨旨銀所가 신녕에 속했다가 다시 영천에 소속되니 사실들을 실로 상고할 수 없었을 것이며, 오늘날 은해사가 옛 이지은소에 건립되었음은 더욱 바로 잡을 수 없었을 것이다.
> '은해銀海'라는 말의 은銀은 은소銀所가 불가佛家에서 말하는 '은지銀地'와 잘 부합하기 때문에 그 뜻을 취한 것인가. '은해'라는 말의 '해海' 역시 불가에서 말하는 '선명해先明海·반야해般若海·청정해淸淨海·묘법해妙法海'의 해海를 취한 것인가.
> 아, 이지의 회복재승격은 지원 을해년에 있었고 태실의 봉안은 정덕 을해년에 있었으니, 땅의 오랜 신령함과 간지干支의 서로

들어맞음이 마치 천지자연과 서로 감응한 듯해서, 지원 연간 이후 지난 540년 동안의 연혁이 분명히 입증되는 점이나 이 절 이름의 의미가 산이 바뀌고 물이 변하는 것과는 달리 열에 하나둘도 의심스럽지 않다.

'은해'에서 '은'은 은지銀地를 뜻한다. 은지는 법당을 세운 곳 또는 사찰을 뜻하니 곧 부처님을 모신 곳이다. 그리고 은해의 '해'는 선명해先明海 · 반야해般若海 · 청정해淸爭海 · 묘법해妙法海라 하니 이는 곧 '세계 또는 장場'의 의미가 녹아 있다. 해서 '은해'는 '부처님을 모신 세계' 또는 '부처님의 세계'라는 의미를 품고 있는 것이다.

3. 은해사, 왕실 수호로 재부흥을 이루다

문정왕후가 은해사를 중건한 까닭

독실한 불교신자, 문정왕후

억불抑佛 정책에 적극적이었던 중종이 세상을 떠나고 인종이 왕위에 오른지 8개월 만에 세상을 떠나게 되자 당시 12살이었던 명종이 왕위에 오르게 된다1545년. 하지만 당시 명종은 너무 어렸기 때문에 사실상 모든 실권은 명종의 어머니인 문정왕후에게 있었다.

문정왕후는 성종 이래로 이루어졌던 극심한 불교 탄압정책을 철폐하고 1550년명종 5, 도첩제度牒制: 승려가 출가할 때 국가가 그 신분을 공인해 주던 제도와 선교양종禪敎兩宗의 부활 등 불교 중흥정책을 시행하였다. 이러한 제도의 부활은 '중종 때 도첩제가 완전히 철폐됨에 따라 나라 곳곳에 무분별하게 승려가 늘어가는 것을 통제해야 한다'는 것과 '군역의 괴로움을 피해 승려의 신분으로 도피하고자 하는 폐단을 막기 위해『경국대전』의 규정에 정해 놓은 취지를 복구하자'는 취지였다. 하지만 이러한 불교 정책 시행에 대한 명분은 말 그대로 명분일 뿐 그 이면에는 다른 의도가 담겨있었다.

16세기 당시는 유교 세력이 너무나 막강하여 왕실의 입장에도 다소 부담스러운 상태였기 때문에 견제 세력이 필요했다. 그 견제 세력으로 문정왕후는 불교를 활용했을 가능성이 높아 보인다. 물론 문정왕후는 본래 불심이 돈독한 사람으로 알려져 있기는 했지만, 단순히 불심으로 불교 중흥정책을 감행했다기어는 그 규모가 너무나 대대적이었다.

특히 왕실 재정 담당 기관인 내수사內需司에서 관리하던 사찰이 명종 대에 들어와 무려 400개소에 이르렀고, 불화佛畫도 400점 이상 제작되는 등 개인적 신앙이라고 하기에는 그 규모가 상당하였다. 역대로 다른 왕조에서도 왕실 사찰을 비롯해 수많은 불사를 왕실 또는 국가 차원에서 진행해 왔지만, 시대를 이끌어가는 이들의 기록을 통한 평가는 매정하기만 하다. 억불의 시대였던 만큼 남은 기록에는 문정왕후의 불사가 마치 백성의 삶을 고단하게 만드는 듯 그려내고 있다.

> 세금만 거두던 민전을 사사寺社에 영속된 토지라고 하여 빼앗아 내수사內需司에 제급하는 것은 매우 불가합니다.
> 『명종실록明宗實錄』 권 제10 명종 5년 9월 5일 을미 조

> 홍세정洪世貞이라는 사람이 내수사의 서제書題를 데리고 내려와서 본래 공문서 내용에 있는 복소포와 와포는 조사하지 않고, 상관없는 강진康津 방축防築·두음방포豆音方浦 방축·잉읍仍邑 방축·가호수家戶水 방축·도시동島示洞 방축 등지의 정전으로 낙종落種 1백여 석의 땅을 소재지의 고을 수령의 입회 조사도 없이 서리들만으로 사사로이 조사 작성하여 올라갔으니 매우 민망하다.' 하였습니다.
> 『명종실록明宗實錄』 권 제21 명종 11년 12월 1일 병술 조

실록의 사료에서 보이듯이 성균관에서도 문정왕후의 불교 중흥정책에 대해 매우 비판적이었다. 성균관 유생들은 무려 523회의 상소를 올려 문정왕후의 불교 중흥정책 중단을 권유하였다. 이러한 상소가 받아들여지지 않자 유생들은 수업을 거부하고 동맹 휴학을 감행하는 등 강력 대응에 나서기도 하였다.

문정왕후 상상도

은해사로 대통합을 시도하다.

문정왕후는 "천성이 강한剛狠하고 문자文字를 알았다."라고 평가될 만큼 똑똑하면서도 치밀한 사람이었다. 그런데 그렇게 평가받던 문정왕후가 이토록 무리해서까지 불사를 도모한 이유가 단순히 불교 신앙에 의한 것이라고 하기에는 부족한 그 무언가가 있다. 치밀하면서도 똑똑했던 그녀는 아들 명종을 대신해 국정을 안정시키고, 강력했던 유교 세력을 무력화시키고자 했던 강한 어머니였던 것이다. 불교에 귀의해 평소 불법을 가까이 하며 왕실의 안녕을 기원했던 문정왕후는 유교 세력에 대응할 방안으로 불교를 전면에 내세웠다.

문정왕후는 신심信心을 십분 발휘하며 불교의 융성을 꿈꿨다. 불교에 심취하여 숭상했다고도 하고, 전국 모든 사찰에 재시財施를 하는 등 불자로서의 면모를 보였다. 동시에 불교의 융성을 끌어갈 만한 스님을 수소문하기까지 하는데, 당시까지 문정왕후의 이런 시도가 무엇을 의미하는지 아무도 몰랐다. 오로지 신심에서 발로한 것이었다고만 여겼을 뿐이다.

> 대비大妃가 불법을 혹탐酷貪하여 독실히 숭상하였으므로 모든 사찰에 시사施捨하지 않은 곳이 없었기 때문에 사람들이 마구 휩쓸렸다. 대비가 불교를 일으키려 하였으나 주장할 만한 승려가 없어서 널리 수소문하였지만, 적격자를 얻지 못하였었다.
>
> 『명종실록明宗實錄』 권 제3 명종 7년 5월 29일 병술 조

문정왕후는 과연 신심만으로 불교의 융성을 꿈꿨던 것일까? 오히려 시간을 앞으로 돌려 명종이 등극하던 1545년으로 돌아가 보자. 문정왕후의 아들인 명종이 왕위에 오르던 그해, 은해사는 지금의 자리에 중건되었다. 유교적 사회체계 속에서 불교를 숭상함으로써 사람들의 입에 오르내리는 것은 아들인 명종에게 부담이 될 수 있기에 왕후는 극도로 조심한다. 그럼에도 은해사가 중건되는 불사佛事를 적극적으로 진행할 때는 그럴만한 '명분'이 있었다.

당시 실권을 두고 대립하고 있었던 것은 대윤大尹과 소윤小尹이었는데, 소윤은 본디 문정왕후를 배후로 하는 세력이고, 대윤은 인종을 배후로 한 세력이었다. 은해사는 인종의 태실수호 사찰이니 중건에 있어 대윤은 반대표를 던질 수 없었다. 소윤은 문정왕후의 뜻이니 좋건 싫건 이를 따를 수밖에 없는 입장이었다. 그러니 양측에 충분히 만족할 만한 명분을 던져준 것이 바로 문정왕후였던 것이다.

문정왕후는 이를 계기로 자신의 신심을 발휘하는 행보를 걸으며 전국적인 불사를 진행하였다. 동시에 정치의 노련함을 보이며 불교와 유교 사이에서 적절한 이익을 취하는 등 그야말로 '치밀하고 똑똑한' 왕후의 면모를 보여주었다. 은해사는 억불시대에 불교를 숭상하였던 문정왕후의 '인종태실수호'의 명분과 함께 재부흥을 맞이할 수 있었다.

왕실이 수호하는 사찰, 은해사

1521년 '인종태실수호사찰'로 지정됨과 더불어 왕실의 배려를 받아 은해사는 재부흥을 맞았다. 그러나 40여 년 뒤 은해사의 대대적인 중창과 사찰 보호에 힘쓴 문정왕후가 세상을 등지고 나니 왕실의 적극적인 지원은 더 이상 없었다. 더욱이 유교가 최고라 여기던 당시 사대부와 지배계층은 서슬 퍼렇던 문정왕후가 세상을 떠난 후, 그녀에게 한풀이하듯 불교를 더욱 핍박하고 폄훼했다. 대대적인 중건 불사가 진행되었던 은해사 역시 그런 핍박을 비껴가지 못했으니 태실수호사찰임에도 핍박 대상 1호가 되어버렸다.

그 정도가 어찌나 심했는지 문정왕후 사후死後 150년 무렵에야 은해사를 다시 '인종태실수호' 사찰임을 인정하는 완문完文을 발급하였다. 이때의 완문도 재인정이긴 했지만, 굳이 재인정을 해야할 만큼 은해사는 그 사이 150년 간 진상과 영문의 각종 잡역에도 참여해야만 했던 흔적들이 보인다.

> 1712년 2월 모일某日에 본사本寺의 일주화상一珠和尙이 몸소 서울에 올라가 이 절을 종친부宗親府에 소속시키고, 또한 특별히 잡역雜役을 줄여주도록 하는 일로 어압御押: 임금의 수결이 있는 도장이 찍힌 완문完文을 발급

받았으니 우리 영종대왕英宗大王: 영조英祖께서 왕자이실 때 종친부 당상
堂上의 한 분이었기 때문이었다. 이때부터 절에서 진상해야 하는 여러
항목이 일제히 줄어들거나 없어졌으며, 각 영문營門의 갖가지 잡역도
일절 사라졌으니, 그 넉넉하고 남다른 은혜는 이루 헤아릴 수 없는 것
이었다.

「영천군 은해사 사적永川郡銀海寺事蹟」

사찰이 닥종이를 만드는 등 여러 가지 잡역에 종사할 수밖에 없었던 조선시대였지만, 인종의 태실을 수호하는 사찰로서 국가의 안녕, 왕실의 번영을 기원하던 은해사 스님들까지 이런 노역에 끌려다닌 세월이 150년이다. 이를 안타깝게 여기던 일주스님은 말 한마디가 비수가 되어 목숨을 앗아갈 수 있을 만큼 유교의 세력이 강했음에도 두려워하지 않고 당당히 태실수호사찰의 사격을 요구했다. 종친부에 소속시키는 일부터 진행하니 불교가 무조건 싫다고 하던 사대부들도 효孝와 충忠 사상에 묶일 수밖에 없는 상황에서 일주스님의 요구를 거부할 수 없었다. 게다가 당시 종친부 당상이었던 영잉군훗날 영조은 은해사의 형편을 알고 다시는 이런 일이 발생하지 않도록 명하는 서류에 도장을 꾹 눌러 찍어주니 예전 은해사의 면모를 되찾아가게 된다.

완문이 남아 있으면 좋으련만 지금은 전하지 않는다. 대신 은해사 산내암자인 백흥암에는 정조가 보낸 「순영제음」과 「완문」이 남아있어 당시 은해사에 내려졌을 「순영제음」·「완문」 내용을 짐작할 수 있다.

도내道內에 있는 명산의 고찰古刹이 모두 없어지고 퇴락하여 종경鍾磬
소리를 듣지 못하는 상황이니 실로 안타까운 일이다. 이는 전적으로

제3장_불은佛恩의 묘법해妙法海, 은해사銀海寺로 자리잡다

> 각영各營 및 각읍各邑의 수장이 절을 전혀 돌보지 않고, 담당 아전배에게 일임하여 자의적으로 조종, 침해했기 때문이다. 은해사는 본시 팔공산의 거찰巨刹이고, 백흥암은 막중한 수호처이며, 선조先祖: 영조의 어압御押 수결手決이 있어 이치상 지극히 존엄한 곳이므로 만약 털끝만큼이라도 침해하는 폐단이 있으면 즉시 감영에 보고하여 엄벌에 처한다.
>
> 「순영제음巡營題音」

백흥암에 남아 있는 완문에서 보면 은해사는 왕실에서도 지엄한 곳으로 인정하여 아전배들의 침해가 있을 시 엄벌에 처한다고 하였으니, 당시 영조의 수결 완문이 있었던 것이 확실하다.

그리고『영천군 은해사 사적永川郡銀海寺事蹟』과 일제강점기 재산대장을 통해 은해사에 영조의 '어압 완문'과 '종친부 완문'과 같은 다수의 문서가 있었음도 알 수 있다.

일주스님의 노력으로 은해사는 1712년숙종 38 종친부에 귀속되고, 1714년숙종 40에는 내탕금內帑金을 받게 된다. 이때의 내탕금으로 은해사는 주변 일대의 땅을 매입하고 그곳에 소나무를 심으니 그 소나무가 숲이 되어 지금의 '금포정禁捕町'이 되었다. '금포禁捕'라는 말은 뜻 그대로 포획을 금한다는 것이고, '정町'은 경계 또는 장소를 뜻하니 금포정의 뜻은 '포획을 금하는 장소'라는 의미다.

천왕문天王門과 보화루寶華樓 사이에 조성되어 있는 이 소나무 정원은 다른 사찰에서는 쉽게 볼 수 없는 형태이다. 더욱이 자연의 아름다움과 더불어 불살생심不殺生心이라는 불교적 메시지가 포함된 숲은 찾아보기 더욱 힘들다.

은해사 금포정

　이처럼 은해사는 왕실로부터 받은 내탕금으로 사찰 주위에 금포정을 조성할 정도로 자비사상을 실천하였던 곳이기도 하다. 만백성의 아픔을 끌어안고자 했던 해안사海眼寺로부터 출발하여 불은佛恩의 묘법해妙法海를 이룬 은해사銀海寺는 인종태실수호사찰인 동시에 왕실과 함께 나라의 안녕을 기원하는 사찰로 재부흥한 것이다.

제 4 장

숭유억불崇儒抑佛을 넘어
화엄강학의 선찰禪刹로 우뚝서다

極樂堂前滿月容
玉毫金色照虛空
若人一念稱名號
頃刻圓成無量功

극락당 앞에 둥근달과 같은 부처님 용모
옥호의 금색광명 허공을 비추네
만약 사람이 일념으로 명호를 부르면
잠깐 사이에도 한량없는 공덕 원만히 이루리

은해사 극락보전極樂寶殿 | 글 _ 석문의범釋門儀範

1. 운브암, 화엄강학華嚴講學의 시발점이 되다

모운진언, 운부암에 짐을 풀다

병인년1686 어느 화창한 가을날, 모운진언慕雲震言스님은 원공遠公스님의 청으로 팔공산 운부암에 짐을 풀었다. 진언스님은 불교중흥을 위해 전국을 다니며, 양란에 소실된 사찰을 중건하고 화엄법회를 열었던 각성스님의 법통을 이은 스님이다. 그런 인물이 운부암에 거처를 정했다는 것은 예사로운 일이 아님을 짐작케 한다.

17세기 당시 조선불교계는 임진왜란과 병자호란 등 전쟁의 참화 속에서 여러 사찰이 파괴되거나 소실되는 등 큰 피해를 입었다. 양란이 있은 지 60여 년이 지났지만 여전히 불교계는 전란의 영향에서 벗어나지 못하고 있었다. 또한 선대 선승들의 법 맥도 이어가기 힘든 시절이었다. 이러한 시대 상황에서도 당대의 이름난 승려였던 벽암각성碧巖覺性스님은 임진왜란 이후 황폐해진 사찰을 복구하고 불교의 중흥을 위해 전국을 돌아다니며 여러 사찰을 중건하였다.

대표적인 예를 들어보면 순천에 있는 조계산의 송광사와 완주 종남산의 송광사를 비롯하여 가야산 해인사, 속리산 법주사, 지리산 남쪽 구례 화엄사, 하동의 쌍계사 등이 있다.

그중에는 새롭게 사찰을 창건한 곳도 있었는데, 바로 보조국사의 유지를 이은 완주의 종남산 송광사이다. 각성스님은 송광사를 완공한 후 무려 50일 동안 화엄대법회를 열었다. 불교가 쇠락하고, 서릿발 같았던 법맥의 유지가 시급한 때에 화엄대법회를 열어 불교중흥에 힘쓰는 스승 각성은 당시 불교계의 사표였다. 그런 스승의 유지를 이어 화엄의 교법[毘盧藏海]을 펼칠 기회가 오기를 내심 기다렸던 이가 바로 모운진언스님이었으니 원공遠公스님의 청이 반가웠던 터였고, 마침 스승의 유지를 펼칠 기회를 잡은 것이다.

> "모운진언暮雲震言스님은 병인년1686 가을에 이르러 팔공산 원공遠公스님의 청으로 운부정사雲浮精舍에 주석하며 화엄의 교법毘盧藏海을 크게 펼치고자 다시 한번 화엄법회를 열었다."
>
> 『화엄품목목관절도華嚴品目目貫節圖』, 「모운대로행적暮雲大老行跡」

운부암 화엄대법회 상상도

진언스님이 운부암에서 화엄대법회를 연다는 소식이 알려지자 은해사 운부암에는 천여 명이 넘는 대중들로 가득 찼다. 그리고 이날 진언스님의 운부암 화엄대법회는 조선 후기 불교의 판도를 크게 뒤바꾸어 놓는 초석으로 작용하고, 동시에 당시 조선불교계가 화엄강학華嚴講學이라는 새로운 흐름을 맞이하는 계기가 되었다.

은해사 운부암 화엄대법회는 바로 직전에 있었던 불전 간행 사업과 맞물려 있었다. 1681년 임자도荏子島에 표류하다가 정박한 배에서 명나라의 평림섭平林葉이 교정하여 간행한 『화엄경소초華嚴經疏鈔』・『대명법수大明法數』・『회현기會玄記』・『대승기신론소필삭기大乘起信論疏筆削記』・『사대사소록四大師所錄』・『정토제서淨土諸書』 등 190여 권의 불전이 발견되었다.

영광 불갑사에 주석하고 있던 백암성총스님이 이 사실을 전해 듣고, 1681년부터 1696년까지 능안의 징광사에 머물면서 이 불전을 5,000여 매의 목판木板으로 조성하였다. 이후 인쇄하여 그 판본들을 징광사와 쌍계사에 나누어 봉안하였다. 진언스님의 운부암 화엄대법회는 마침 성총스님이 입수한 경전들이 간행 후 유포되던 시기에 개최되었으니 그 파급 효과는 대단하였을 것이다.

진언스님의 화엄에 대한 관심은 이후 직지사直指寺와 쌍계사雙磎寺를 오가며 『화엄경』을 강의하였던 것에서도 나타난다. 이때 진언스님의 영향을 받아 훗날 종풍宗風을 크게 떨치는 스님이 나타나는데 바로 환성지안喚醒志安 스님이다. 이렇듯 진언스님의 운부암 화엄대법회를 기점으로 18세기 이후 개최된 화엄대회가 30여 회가 넘을 정도로 크게 성행하였다.

그중 가장 대표적인 화엄대회만 언급한다면, 1691년 백암성총의 선암사 화엄대회, 1725년 환성지안의 금산사 화엄대회, 1725년 남악태우의 금산사 화엄대회, 1734년과 1754년 상월새봉의 선암사 화엄대회, 1785년 혜암

윤장의 화엄사 화엄대회 등이 있다. 이것은 각성스님의 법통과 유지를 이어받아 조선불교를 부흥시키고자 했던 진언스님의 유지가 운부암의 화엄대법회를 기점으로 삼아 계승되었기 때문이다. 그리고 진언스님은 화엄대법회를 마치고도 운부암에서 후학을 양성하였다.

> 혜원스님이 아침을 준비했다. 식후에 진언 종장이 법당에서 학도들을 모아놓고 경전을 강설하는 것을 보았다. 금고金鼓가 울리자 책상 앞에 앉아 말을 시작하는데, 먼저 『치문緇門』과 『서장書狀』을 강하고, 다음에 『화엄경』과 『원각경』을 강했다. 강이 끝나자 여러 사람들이 일어나 조용히 절을 드리고 나가는 데 그 광경이 볼만했다.
>
> 『산중일기山中日記』 1688년 5월 30일 내용 중 일부

조선 후기 학자 우담 정시한愚潭 丁時翰: 1625~1707이 쓴 『산중일기』 중 일부이다. 정시한은 조선의 명찰을 여행하며 그 감회를 기록하였다. 1686년 운부암에서 화엄대법회가 열렸었고, 위 산중일기의 날짜는 1688년이다. 화엄대법회를 개최한 2년 뒤의 기록인 것이다. 아마 정시한은 운부암을 여행하였던 모양이며, 당시 자신이 운부암에서 본 것을 기록하였다.

정시한이 운부암에 머물렀던 당시 운부암에는 혜원이라는 스님이 있어 아침을 준비했고, 식사를 마치자 종장 진언스님이 법당에 학도들을 모아놓고 경전을 강설하였다. 정시한은 책상 앞에 앉아 『치문緇門』과 『서장書狀』을 강설하고, 그 다음 『화엄경』과 『원각경圓覺經』을 강설하는 진언스님의 모습과 강의가 끝나고 사람들이 나가는 그 모습을 모두 지켜보았다. 그리고 그 광경이 볼만했다고 적었다.

이처럼 1686년 가을날 진언스님이 운부암에 짐을 풀고 열었던 '운부암의 화엄대법회'는 조선 후기 화엄강학 부흥을 일으킨 시발점이라 할 수 있다.

왕실의 수호 아래 펼쳐진 화엄대법회

그렇다면 조선 후기 화엄강학의 대 전기를 마련한 진언스님의 화엄대법회는 어떻게 운부암에서 열게 되었을까? 그리고 운부암은 어떻게 화엄강학의 시발점이 될 수 있었나? 이러한 물음 끝에는 전폭적인 지지를 하였을 왕실이 떠오른다.

운부암 화엄대법회에 모인 대중은 천여 명이었다. 현실적으로 천 명 이상의 인원이 먹고 잘 수 있는 공간과 재력을 가진다는 것은 숭유억불의 시대 상황에서 그리 쉬운 일이 아니다. 또 불교를 억압하는 조정의 입장에서 불교도들이 천 명 이상 모인다는 것은 달가운 것이 아닐 수 있다. 그 예로 1725년 김제 금산사에서 화엄대회를 개최한 환성지안스님은 역모를 모의했다는 모함을 받고 옥살이와 제주도 유배로 얼마 지나지 않아 입적한 사례도 있었다.

당시 조정의 분위기로 볼 때, 운부암의 화엄대법회는 왕실의 적극적인 지지를 받지 않고서는 불가능했다. 은해사는 1521년 인종의 태실수호사찰로 지정된 이후 왕실과 긴밀한 관계를 가지고 있었다. 그리고 1546년 문정왕후에 의해 지금의 위치로 옮기고 중창하면서 왕실과의 관계가 더욱 깊어졌다. 이후 기록에는 나타나 있지는 않지만 왕실과 관련된 많은 사찰이 내수사를 통해 지원을 받았고, 태실수호사찰인 은해사는 특히 왕실의 적극적인 후원을 받았다. 이는 은해사가 1712년에 종친부에 귀속된 점으로 미루어보아도 그 신빙성이 더해진다. 즉, 진언스님이 화엄대법회를 개최할 당시 은해사는 그 많은 인원을 수용할 수 있는 공간과 재정적 능력을 가지고 있었다는 것이다.

또 하나 당시 왕이었던 숙종이 친불교적인 인물이었다는 것도 한몫했을 것이다. 왕실 사찰인 은해사이니 대규모 화엄대회가 개최된다는 사실을 숙종이 모를 리 없었을 터, 이를 묵인하였다는 사실은 왕이 그만큼 친불교적인 태도를 견지하고 있었음을 의미한다.

숙종은 당시 임자도 표류선에서 나온 불경들을 가져다 읽었을 만큼 불교에 심취해 있었던 인물이다. 그가 얼마나 경전 탐독에 심취하였는지 경전을 손에서 놓지 않고 있어 신하들이 우려를 표할 정도였다고 한다. 숙종이 신하들의 우려를 살 만큼 손에서 놓지 않고 탐독하였던 불경 중에는 조선 불교계에서 유통되지 않던 『대승기신론소필삭기大乘起信論疏筆削記』와 조선 초기에 실전失傳되었던 『화엄소초華嚴疏鈔』도 있었다.

숙종의 입장에서는 자신이 손에 놓지 않고 탐독했던 그런 심오한 경전을 강설하는 운부암의 화엄법회가 내심 고마웠는지도 모른다. 그러니까 진언 스님의 운부암 화엄대법회는 왕실의 수호 아래 이루어졌으며, 당시 불교계의 상황과 마침 태풍으로 우리나라 흘러들어온 불경 간행 등 불교계가 처한 시대 소명적인 여러 인연의 고리가 엮여 이루진 것이라 할 수 있다.

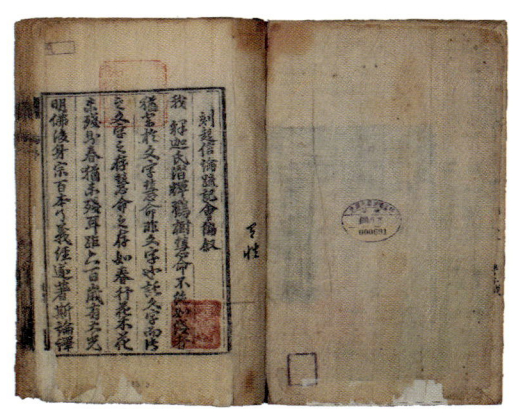
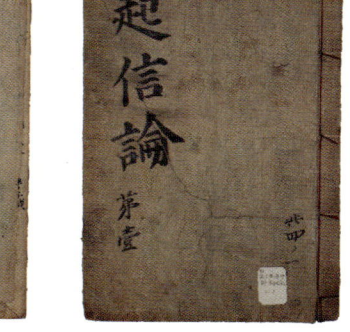

대승기신론소필삭기 쌍계사 목판본 ⓒ불교기록문화유산 아카이브

2. 영파-성규, 은해사에 화엄강학을 꽃피우다

화엄대강백, 은해사에서 화엄을 펼치다

영파성규影波聖奎, 1728~1812스님은 화엄강학華嚴講學이 본격적으로 성행하던 18세기에 활동한 대선사이자 당대 최고의 화엄강백이다. 영파스님은 19세의 나이로 청도 용천사湧泉寺 환응喚應스님 밑에서 출가하여 계戒를 받았다.

영파스님 진영 ⓒ국립대구박물관 · 은해사 성보박물관

계를 받은 후 30여 년 동안 깨달음을 얻기 위해 전국 각지를 돌아다니며 당대의 선사들에게 가르침을 청하였다. 마지막으로 가르침을 받았던 스승은 18세기 최고의 화엄강백이자 대선사였던 설파雪波와 함월涵月 두 스님으로, 영파스님은 이곳 문하에 들어가 공부와 수행에 전념하였다. 그리고 함월스님으로부터 의발을 전수 받아 대둔사현재의 해남 대흥사 13대 강주를 지냈다.

스님이 활동한 18세기는 조선 후기로, 당시 불교계는 화엄사상을 기반으로 한 간화선이 유행한 시기였다. 조선 전기 불교는 사대부들의 억압 정책으로 인해 수차례나 탄압 당하였고, 그중에서도 연산군과 중종 대에 불교계는 많은 폐불廢佛을 겪었다. 그뿐만 아니라 임진왜란과 병자호란 등 여러 차례의 전쟁으로 인해 많은 대덕들과 스님들이 입적하고, 사찰들은 파괴되고 훼손되는 등 막대한 피해를 입기도 했다.

억불숭유의 분위기 속에서 일찍이 위기의식을 느꼈던 당시 스님들은 불교의 보존과 발전을 위해 유학자들과 적극적으로 교류하기 시작하였으며, 내부적으로는 선종과 교종을 통합하고 수행체계를 정비하였다. 이때 불교계는 간화선과 함께 선사상의 중요한 교학적 기반을 제공하는 화엄학을 중시하였다. 또한 조선 중기를 넘어 조선 후기가 되면서 성리학, 다시 말해 심학心學이 심화되었다.

조선 후기 지배계층의 사상적 변화는 불교계 내부에도 그에 대응하는 공부로 화엄을 중시하는 계기를 제공했다. 이러한 배경 때문에 조선 후기는 화엄학에 대한 이해가 중시되었으며, 여기에 기반을 둔 선 중심의 시대가 도래하였다. 이를 바탕으로 당대의 명승名僧들은 조선불교를 중흥하기 위해 중창·중건 불사와 화엄대회를 개최하는 등 많은 노력을 기울였다.

영파스님은 해인사 인근 마을에서 태어났다. 어려서부터 학문에 재능을 보였는데, 15세에 이르러 청량암에서 스님들이 절하는 모습을 보고 느낀

바 있어 청도 용천사 환응스님 문하에 출가하였다. 이후 당대의 선지식을 찾아 배우다가, 어느 날 문득 부처님의 가르침을 펼치려면 먼저 깨우쳐야 한다고 생각하게 되었다. 금강대金剛臺에 머물 때 이포성공척결도량㳽蒲盛供滌潔道場을 시설하여 관세음보살의 법력을 구하고자 하였다.

이포성공척결도량은 간간한 삿자리만 깔고 네 번 정근하는 기도장을 말한다. 네 번의 정근은 새벽과 사시 그리고 오후 2시와 저녁 등 하루에 네 번 정성을 다해서 예불하고 기도하는 것이다. 그렇게 정진하고 기도를 마치는 날 밤 스님은 꿈을 꾸었다. 꿈속 서가에 꽂혀 있는 책이 모두 『화엄경華嚴經』이었다. 그대 곁에 있던 노스님이 "진리가 모두 여기에 있다."고 말했다.

기도정진을 통해 화엄의 뜻을 얻은 영파스님은 꿈을 꾼 날로부터 9년이 지난 어느 날, 황산퇴은黃山退隱스님을 만나 『화엄경』을 받게 되면서 화엄 공부에 진력하게 되었다. 참선을 할 때도 『화엄경』을 놓지 않았고, 관세음보살과 보현보살을 원불願佛로 삼았다. 화엄에 세운 스님의 굳은 의지 때문이었는지 당대의 대강백이자 선의 종주였던 설파상언雪坡尙彦과 함월해원涵月海源을 찾아가 화엄의 종지宗旨와 선의 진수를 체득하여 해원으로부터 법맥法脈을 이어받게 되었다. 스님이 대둔사의 13대 강주가 되었던 것은 그 함월해원의 법맥을 이은 까닭이다.

그렇다면 영파스님은 왜 대둔사의 강주 자리를 내려놓고 팔공산 은해사로 향하였을까? 모운진언과 화엄대법회, 이 두 가지 인연에 영파스님이 다시 은해사 운부암으로 돌아온 연유가 서려 있다.

18세기에 들어선 이후 근 100여 년간 영남 지역 특히 그중에서도 경북 지역은 화엄강학의 흐름이 적잖이 위축되어 있는 상태였다. 운부암 화엄대법회를 주도했던 모운은 화엄법회 이후에는 직지사로 옮겼다가 다시 김천의 쌍계사로 옮겨 후학을 양성하다 그곳에서 입적한다. 이후 한동안 은해사에는 그를 계승하는 선지식이 출현하지 않았던 탓인지 혹은 사중의 분위기가 화엄강학에 무심했던 것인지 화엄강학 도량으로서의 입지가 희미해져 있었다.

영파스님은 그것이 못내 아쉬웠다. 자신은 화엄 대찰 중의 하나인 해인사 인근에서 태어나 어려서부터 부처님의 인연을 만나고, 또 화엄을 뜻을 둔 이래로 그 종지를 전하는 스승을 만나는 기연을 얻었다. 덕분에 선교가 흥성하던 대둔사의 강주가 되었기 때문이다. 하지만 스님의 말년 행적은 주로 영남 일대에서 보인다. 한때는 창녕 극락암의 원통전을 중창에 참여하고1768년 또 통도사 팔상탱 봉안1775년과 극락전 중수1800년에도 참여하고 있다. 다만 정조 13년1789 4월 은해사에서 밀양 표충사 팔도도총섭으로 부임한 것을 보면, 이 시기에 주로 머물렀던 곳은 은해사였던 것으로 보인다. 말년의 대부분을 은해사에서 후학을 키우는데 주력하고, 그 틈틈이 영남 지역 여러 사찰의 불사에 참여하고 있는 행적을 보인다.

그렇다면 하필이면 은해사이고 운부암이었을까? 스님의 사승師承에서 그 내력을 엿볼 수 있다. 스님이 대둔사의 강주가 되었던 것은 함월해원스님의 법을 이었기 때문이다. 그리고 함월해원스님은 환성지안스님의 법을 이었다. 환성지안스님은 1725년 금산사에서 화엄대법회를 열었다가 무고를 받아 제주도에 유배된 지 7일만에 죽음을 맞이했던 순교자이면서, 18세기 전반 조선의 불교를 대표했던 인물이다. 그리고 그 환성지안스님에게 법을 전했던 이가 바로 모운진언스님이다. 진언스님은 직지사에서 열린 두 번째 화엄법회에서 그 법을 환성지안에게 전했다. 역산하면 영파스님은 은해사 운부암에서 화엄대법회를 주도하여 화엄강학의 시대를 연 모운진언스님의 증손제자인 셈이다.

은해사는 영남 지역을 대표하던 종찰 중의 하나였고, 그 은해사에서 조선 후기 불교의 진로가 되었던 화엄강학의 문이 열렸다. 하지만 그 강학의 맥을 계승했던 환성지안스님은 무고를 받아 순교했다. 그 법맥을 계승했던 손제자 영파스님은 그 근원지였던 은해사와 운부암에서 화엄강학이 다시 펼쳐지는 모습을 꿈구었을 것이다.

말년의 영파스님은 스스로 낙동문인洛東門人을 칭했다. 모운진언이 입적한 김천의 쌍계사, 환성지안의 가르침을 계승한 직지사, 그리고 모운진언이 첫 번째 화엄대법회를 개최했던 은해사는 모두 낙동강의 동과 서에 자리하는 영남의 사찰들이다. 스스로를 낙동의 문인門人이라 칭했으니, 그 낙동의 화엄강맥이 모운진언에게서 시작되어 영파성규에 이르러 다시 제자리를 찾은 셈이다. 그리하여 그 본지에 자리한 것이 은해사요, 운부암이다. 이로부터 은해사는 영남 화엄강학의 본산으로 자리매김하게 되었다.

이러한 사실을 고려하면 대둔사의 13대 강주를 역임한 대선사이자 당대 최고의 화엄강백으로 명성을 날렸던 영파스님이 팔공산으로 향한 것은 어찌보면 당연한 일이었다. 영파스님이 해남 대둔사의 강주 자리를 내려놓고 팔공산으로 향하게 된 것은 바로 그곳에 있는 화엄강학 부흥의 출발점이며, 화엄교학의 본산 은해사에서 화엄을 펼치기 위해서였다.

수행 매진의 모습을 삼매로 보여주다

영파스님은 팔공산에 입산하고서 대부분의 여생을 운부암에서 보냈다. 이곳에서 주석하며 후학을 양성하기 위해 화엄강학은 물론 은해사와 여러 암자를 중창·중건 불사를 진행하고 많은 편액을 남겼다. 그리고 스님의 수행 매진은 시간을 잊는 삼매로 이어지기도 했다. 이러한 스님의 모습을 잘 보여주는 일화가 중암암 극락굴에 전해지고 있다.

영파스님이 중앙암에 머무르며 학인들에게 선 수행과 화엄 강의를 해주고 있던 때였다. 무더운 어느 여름날 그날도 학인들은 스님의 강의를 듣기 위해 강당에 모였다. 하지만 어쩐 일인지 스님께서는 강당에 나타나지를 않으셨다. 조금 기다리면 오실 것이라고 믿고 학인들은 그 자리에서 기다리고 있었다.

그러나 한 식경이 지나고, 때가 지나도록 스님의 모습은 보이지 않았다. 처음에는 '조금 있다 오시겠지.' 하다가 시간이 지나 산그림자가 길게 깔릴 무렵에는 '어디 마을 아래로 출타하셨는가?' 하는 마음으로 각자 자신의 일을 보기 시작했다. 그러다가 주위가 깜깜한 어둠에 잠기자 조심스럽게 기다리던 학인들은 웅성거리기 시작했고, 급기야 절의 모든 대중들은 걱정과 불안감에 휩싸이기 시작했다. 그때 여기저기서 말들이 들리기 시작했다.

"문밖이 깜깜합니다. 이렇게 앉아서 큰스님 걱정만 하고 있을 참입니까?"

"그렇습니다. 앉아서 기다리고만 있을 것이 아니라 각자 나가서 찾아봐야 할 것 같습니다. 혹시 출타하셨다 해도 길이 어두워 위험한 일 아닙니까."

"횃불이라고 켜고 나갑시다."

사람들 모두 스님을 찾아 나섰다. 절 아래로 위로 대중들이 흩어져 스님을 부르며 찾고 있었는데, 그때 스님께서 극락굴 안에서 여여하게 나오는 것이 보였다. 스님께선 극락굴에 들어가 조용히 삼매에 들었던 것이었다.

"허허, 내가 잠시 시간을 건넜나 보네."

스님은 찾아 나선 대중들에게 엷은 미소를 띠우고 발걸음을 옮겼다. 스님의 수행 정진이 어느 만큼 깊었길래 하루해가 다 가도록 때를 잊고 삼매에 들었을까? 이런 영파스님의 모습을 본 대중들은 그 모습에서 수행 정진의 법을 깨달았을 것이고, 더욱 열심히 공부에 매진하지 않았을까.

중암암 극락굴

　　은해사 산문을 들어서면 팔공산 봉우리에서 내려와 깔리는 선의 기운을 느낀다. 그것은 삼매에 든 모습으로 후학에게 몸소 수행 정진의 실체를 보여주고, 후학 양성을 위해 수행에 매진했던 영파스님의 원력이 살아 있기 때문이리라.

3. 숭유억불을 넘어 선찰禪刹의
향기를 품고 우뚝서다

　　숭유억불의 시대, 그 네 글자가 주는 아픔도 있지만, 그런 시대 속에서 마냥 시절 탓을 하며 헛된 수행으로 살아가는 이들도 있었을테다. 불자로서 그런 삶을 살아간다면, 곁에서 보는 올곧은 스님들은 시대의 아픔보다 이런 상황이 더 쓰라리게 느껴졌을 것이다. 백암성총栢庵性聰스님 역시 그러했다.

教筵禪席盡荒凉	강원과 선방이 모두 다 황량하여
盲引羣盲最可傷	맹인이 여러 맹인 인도하니 너무도 슬프도다.
病藥未分空守舊	병과 약을 분간 못해 헛되이 옛것만 지키고
源流俱失但尋行	원류를 다 잃고서 다만 행적 찾기 바쁘도다.

『백암정토찬栢庵淨土讚』

　　성총스님은 오죽 답답했으면 맹인이 다른 맹인을 인도한다고까지 표현했을까. 이러한 불교계의 난제를 겪으면서도 은해사는 모운진언스님의 화엄강학을 이어 영파성규스님의 후학 양성으로 화엄교학 본산으로서의 위상을 가진 명찰이었다.
　　은해사가 화엄교학의 본산으로 선풍禪風이 떠나지 않은 명찰인 것은 현재까지 남아 있는 선사들의 진영에서도 알 수 있다. 『화엄경』에 능통하였던 선승인 영파선사影波禪師. 1728~1812를 시작으로, 청허휴정靜虛休靜의 법을 이은 낙반홍제落濱弘濟가 법을 전한 기성쾌선箕城快善, 1693~1764, 기성쾌선으로부터 4세손이며 관월영수冠月影修의 제자인 징월정훈선사澄月正訓禪師, 1751~1823, 1847년 화재 이후에 은해사 중창에 힘썼던 팔봉승휴선사八峯堂勝休禪師, ?~?, 이외에도 환성지안喚醒志安의 3세손이자 영파성규의 법맥을 이은 우운혜정선사遇雲慧定禪師, ?~? 등 법호만 들어도 알 수 있는 스님들의 진영이 이곳 은해사어 모셔져 있다. 모두 어두운 시기, 이곳에 머물며 맹인이 아닌 눈 밝은 이들을 양성하는 주역과도 같은 역할을 했다.

그러니까 은해사는 당대의 선승들이 머물며 후학들을 위한 강학이 이어진 곳이며, 많은 이들이 그들의 가르침을 받았던 화엄교학의 본산이었음이 분명하다.

이것을 증명하듯 은해사가 품고 있는 산내 암자를 찾았던 이들이 남긴 시詩에서도 우리는 선찰禪刹로서의 은해사와 은해사가 품고 있는 산내 암자를 만날 수 있다. 명찰을 찾아 여행하던 이들이 은해사 산문 안으로 들어와서 맛본 풍취와 소회를 밝힌 시문들을 통해서 말이다.

獨訪雲浮寺	혼자서 운부사를 찾아가니
禪房靜可依	선방 고요하여 의지할 만하네
谷深車馬少	골짜기 깊어 수레와 말이 적고
僧老歲年遲	노승은 나이 먹는 법을 잊었도다
竹影侵虛榻	대나무 그림자 빈 걸상을 드리우고
松風透薄衣	솔바람은 엷은 옷에 사이로 불어오누나
山靈應不昧	산의 신령스러움이 응당 어둡지 않으니
結社會如期	결사의 모임을 기약하네

『태재선생문집泰齋先生文集』1815

妙峯海上	은해사 위 묘봉암
孤岑石潭	외로이 봉우리에 선 석담은
禪門之彪	선문의 호랑이 무늬이다.
窈窕春晝	한적한 봄날의
閴靜雲關	고요한 구름 빗장
嫺然一幅	우아한 한 폭의 그림이
大師容顔	바로 대사의 얼굴이니라.
畵裡瞻想	그림 속에서 우러러보는 건
七分之間	아련함이다.

『가산고伽山藁』 1852

蹉跎世事不曾謀	어그러진 세상사 다시 도모하지 않고
林下惟羣鹿豕遊	수풀 아래에서 사슴 떼 멧돼지와 노니나니
一抹雲煙疑佛塔	한 무더기 구름은 불탑에 맺혀 있고
百年松檜擁禪樓	백 년 묵은 소나무들 선문의 누대 옹호한다
磨來道鏡靑山靜	도의 거울을 탁마하는 청산은 고요하고
滌去塵心碧澗流	때 묻은 마음 씻어 내는 푸른 시내 흐르나니
嶺外伽藍名勝地	산마루 밖 가람, 명승지에
禪宗講伯古今留	선문의 종사와 강백들 예나 지금이나 머무는구나

『함홍당집涵弘堂集』 1879

태재선생1388~1443은 혼자서 운부암을 찾았던 모양이다. 그는 운부암을 "선방이 고요하여 의지할 만하다."고 하며 결사의 모임을 기약한다고 노래한다. 즉, 운부암은 불교중흥을 위하여 지눌이 결사 모임을 한 거조암에 비견되는 곳으로 느낀 것이리라. 그러니까 운부암은 태재선생이 방문했던 그 당시에도 선기가 서린 도량이었던 것이다.

월하계오月荷戒悟, 1773~1849 스님이 묘봉암을 방문했던 때는 석담대사라는 분이 묘봉암을 지키고 있었나 보다. 어쩌면 도반이었을 수도 있겠으나 계오스님은 묘봉암 봉우리에 의로이 선 석담이라고 하며 그 인물을 "선문의 호랑이 무늬다."라고 찬한다. 이 한 구절로 그곳에서 수행정진하는 선승의 기풍이 눈앞에서 보는 듯 느껴진다.

그리고 함홍치능涵弘致能, 1805~1878 스님은 "백년 묵은 소나무들 선문의 누대 옹호한다."라는 말로 금포정을 은유로 은해사를 찬하고 있다. 그러면서 "선문의 종사와 강백들 예나 지금이나 머무는구나."라고 하여 당시에도 많은 강백 선사들이 은해사에 거무르고 있음을 시로 엮어 놓았다.

이 시문들을 보면 은해사는 선찰로서의 그 격을 충분히 가졌던 것으로 보인다. 더불어 은해사 중건 직전인 1543년에 만들어진 『대혜보각선사서경판大慧寶覺禪師書經板』과 중건 이후 만들어진 『고봉화상선요경판高峰和尙禪要經板』1606이 은해사 중건 전후로 이루어졌으니 이를 보더라도 당시의 사격寺格을 엿볼 수 있는 대목이다.

팔공산 봉우리에 인종의 태실을 품음으로써 '인종태실수호사찰'의 지위를 가졌고, 조선 후기 200여 년 왕실의 수호를 받았던 은해사. 이곳에 머물렀던 스님들은 시대를 뛰어넘어 은해사를 조선 후기 불교 화엄강학 중흥의 출발점으로 만든 모운진언스님과 그 스승인 벽암각성스님의 유지를 잘 잇고 있었던 것이다. 은해사에서 수행정진하였던 훌륭한 스님들의 선풍이 있었기에 은해사는 숭유억불을 넘어 화엄강학의 본산이며, 선찰로 오늘도 우뚝 서 있는 것 아닐까.

제 5 장
1200년 묘법해妙法海에 깃든 극락세계를 찾아서

一切有爲法
如夢幻泡影
如露亦如電
應作如是觀

일체의 모든 현상계는 꿈이고 허깨비이고
물거품과 그림자에 불과하고
이슬방울이나 번개와도 같으니
마땅히 이와 같이 보아야 할 것이다

은해사 중암암 | 글_금강경

1. 칠세七世부모의 극락왕생을 기원하다

'효孝'의 아이콘, 인종의 태실

어떤 목숨인들 늙어 죽으나 젊어 죽으나 원통한 마음이야 같지만, 25년간 세자의 자리에서 풍파의 세월을 보내고 왕의에 등극했지만 8개월 만에 죽음을 맞이한 인종의 죽음은 얼마나 원통할까? 모후母后인 장경왕후는 인종을 낳자마자 죽음을 맞이해 얼굴조차 기억이 없고, 그나마 마음의 의지처였던 아버지 중종마저 세상을 떴으니 마음 둘 곳 없이 외로웠을 것이다. 계모인 문정왕후의 사랑이 없지는 않았으나 이복동생을 보면서부터 달라진 계모의 마음을 모를 리 없었고, 받아주지 않는 효심을 모두 아버지께 쏟았던 인종이다. 이유가 무엇이든 효심 깊었던 인종의 태실은 '효孝'의 근본적 상징으로 떠올랐다. 유교 사상의 근간인 효의 아이콘이 된 인종의 태실이 이곳 은해사에 안치되어 있다. 유교 사상의 아이콘인데 사찰에 모셨다는 것이 쉽게 납득되지 않을 수도 있다.

불교에서는 예로부터 칠세七世부모를 위해 기도하거나 불상을 조상하여 그 넋을 위로하고 극락왕생을 기원했다. 낳아주시고 길러주신 부모뿐만 아니라 7대를 거슬러 올라가 선조들의 극락왕생을 기원한 것이다. 유교에서 보면 최고의 효행이다. 이미 돌아가신 분들이지만 아미타부처님께서 접인接引할 수 있도록 발원하는 것이다.

모란으로 아미타부처님께 접인시키다

그렇다면 아미타부처님께서 접인하실 수 있도록 발원한 흔적들을 찾아볼 수 있을까? 과거에는 '대웅전'이었던 지금의 극락보전에 들어가기 위해 문을 열려 하면, 문살의 특이함을 발견할 수 있다. 바로 '모란'이 단아하면서도 동시에 화려함을 잃지 않은 자태로 조각되어 있다. 우리나라 국화國花가 '무궁화'이듯, 조선 왕실을 대표하는 일종의 국화와 같은 것이 모란이었다. 다만 그 사용처는 한정되어 있다.

『국조상례보편國朝喪禮補編』에 보면 왕실 상례에서는 고인의 시신이나 혼이 자리하고 있는 곳에는 어김없이 모란도圖 병풍이 설치되었다는 것을 알 수 있다. 또 역대 국왕의 어진御眞을 모시고 제례를 지내는 진전眞殿의 어탑御榻 뒤에도 모란도 병풍을 두었다. 그러니 모란은 왕실을 대표하는 꽃이면서 동시에 왕실의 망자를 위로하는 꽃이다.

문살의 모란을 혹자는 연꽃이라고도 한다. 아마도 사찰에 연화문이 있다는 관념 때문일 것이다. 그런데 극락보전의 문살뿐 아니라 또 다른 곳에서도 모란문을 발견할 수 있다. 불교 의식을 진행할 때 읽은 발원문이나 경전 등을 읽고 보관하는 통인 소통疏筒이 있는데 은해사의 '강희52년' 명 소통에도 역시 모란문이 보인다. 일반적으로 소통은 발원문을 보관하지만, 부처님 앞이나 명부전 앞에 죽은 사람의 죄와 복을 아뢰는 글인 소문疏文 즉, 제문祭文을 보관하는 경우도 많다. 왕실의 소문을 보관하는 경우도 많은데, 보통은 연화문, 범자문, 넝쿨무늬 등을 새겨넣는다. 그런 측면에서 은해사 소통의 모란문은 '죽음'을 강조한다고 볼 수 있다. 먼저 간 칠세부모를 아미타부처님께 접인시키고자 왕실의 상장례에 사용하던 모란문을 적극적으로 활용한 은해사. 그럼 아미타부처님께서는 이들의 발원처럼 래영來迎해 주셨을까?

'강희52년'명 소통疏筒 ⓒ국립대구박물관·은해사성보박물관

조선 사람들의 칠세七世부모를 마중 나온 아미타부처님

인종의 태실을 모시면서 비롯되긴 했지만, 은해사는 왕실에 국한된 것이 아닌 나라 전체의 선조先祖를 위한 사찰로 거듭난다.

> 도내道內에 있는 명산의 고찰古刹이 모두 없어지고 퇴락하여 종경[鍾磬: 아악기 雅樂器 에 속하는 타악기. 쇠로 만든 편종 編鍾, 특종 特鍾 과 돌로 만든 편경 編磬, 특경 特磬 등을 총칭한 말] 소리 듣지 못하는 상황이니 실로 안타까운 일이다. 이는 전적으로 각영各營 및 각읍各邑의 수장이 절을 전혀 돌보지 않고, 담당 아전배[衙前輩: 각 관청 官廳 에 딸려 벼슬아치 밑에서 일을 보던 중인 中人 계급 階級 의 직급 무리]에게 일임하여 자의적으로 조종, 침해했기 때문이다.

> 은해사는 본시 팔공산의 거찰巨刹이고, 백흥암은 막중한 수호처이며, 선조先朝의 어압御押 수결手決이 있어 이치상 지극히 존엄한 곳이므로 만약 털끝만큼이라도 침해하는 폐단이 있으면 즉시 감영에 보고하여 엄벌에 처한다.
>
> 「순영제음巡營題音」

선조의 어압이 있는 곳이니 왕실의 중요한 사찰임과 동시에 팔공산의 거찰로서 만백성의 안녕을 기원하는 곳이기도 하다. 해안사가 들어설 때부터 이미 팔공산이 그러한 곳이었던 것처럼 말이다. 이러한 은해사에 칠세부모를 마중 나온 부처님이 계시는데 바로 '건륭십오년경오사월일乾隆十五年庚午四月日'로 조성 연대가 기록된 '은해사괘불탱화'의 부처님이다.

건륭 15년, 1750년 4월에 조성된 이 괘불탱화는 처일處一스님과 보일普捲스님이 조성한 것으로 알려져 있는데 비슷한 시기에 '은해사괘불탱화'와 더불어 '은해사대웅전후불탱화', '백흥암아미타설법도', '염불왕생첩경도추정' 등이 함께 등장한다. 비슷한 시기, 동일한 인물에 의해 조성되었지만 괘불탱화만 단독으로 부처님이 모셔지면서 주변은 모란꽃이 만발해 있다. 그리고 여섯 마리의 새가 함께 그려져 있는 독특함을 지닌 괘불탱화이다.

괘불탱화의 부처님은 아미타부처님으로 추정하는 경우가 많은데, 아미타부처님의 경우라면 임종을 맞이한 한 사람만을 위한 것이지만 여기서는 인종을 비롯한 선대의 왕들뿐 아니라 조선의 모든 사람의 7대 부모까지 맞이하기 때문에 '래영'이 아닌 '맞이'하는 장면으로 표현된 것은 아닐까?

대신 사바세계로 내려오신 것이 아니라 아름다운 새가 날아다니며 고통이 없는 극락세계에서 이미 돌아가신 분들을 맞이하는 아미타부처님을 표현한 것으로 보인다. 당장 죽음을 맞이하는 사람들이 아닌 사바세계의 연을 다한 이들에게 아미타부처님께 모셔다 드리고자 했던 당시의 왕실과 백성들의 원을 담아 모셔진 아미타부처님께서는 지금도 불연국토佛緣國土인 이 땅의 선조들을 맞이하고 계시는 듯하다.

현세와 내세 모두를 아우르는 극락세계

은해사 극락보전에는 아미타부처님과 함께 아홉 마리의 용이 새겨져 있다. 불교 건축물에서 용은 가장 많이 활용되는 상상의 동물이긴 하지만 그 수가 아홉 마리라는 것은 특별한 의미가 있어 보인다. 불교 설화에 보면 부처님이 탄생하셨을 당시 아홉 마리의 용이 물을 뿜어 씻겨드렸다는 '구룡토수九龍吐水' 이야기가 전해진다.

如來降生時	여래께서 태어나실 때
九龍吐水	아홉 룡이 물을 뿌려
沐浴全身	온몸을 씻겨 드리니
我今淸淨水	저희들도 이 맑고 깨끗한 물로
灌浴金身	금신을 목욕시켜 드립니다.
我今灌浴童子佛	제가 이제 아기 부처님을 목욕시키오니
正智功德莊嚴聚	바른 지혜와 공덕을 모아 장엄하고
五濁衆生命離垢	오탁 중생들은 더러운 때를 씻고
當證如來淨法身	여래의 깨끗한 법신을 증득케 하옵소서

『욕상공덕경浴像功德經』

은해사는 인종의 태胎를 모시고 수호하는 사찰이다. 인종의 태를 모신다는 것은 인종의 탄생을 축하함과 동시에 세자가 성군聖君이 되어 나라의 안녕을 도모하길 바라는 마음을 담고 있다. 이처럼 부처님의 탄생을 환영하고 기뻐하는 뜻이 담겨있는 '구룡토수'와 왕실 자손의 탄생을 기념하고 축하하는 의미에서 조성한 태실胎室은 서로 닮아있다. 이러한 맥락에서 은해사 극락보전에 새겨진 구룡九龍의 의미가 살아난다. 부처님이 탄생하여 만 중생의 고통을 구제하셨 듯이, 장차 나라님이 될 세자가 성군이 되어 조선 팔도에 평천하가 깃들기를 염원하며 아홉 마리의 용을 극락보전에 새겼던 것이다. 은해사 극락보전은 내세의 염원만 담겨있는 공간이라기보다는 현세와 내세 모두를 아우르는 극락세계인 것이다.

2. 은해사 괘불탱화, 나라의 안녕을 소원하다
: 모란꽃비로 장엄한 부처님 세계

은해사 괘불탱화 ⓒ문화재청

  은해사괘불탱화의 조성 시기는 '건륭십오년경오년사월일乾隆十五年庚午四月日'이라 기록되어 있으니 서기로는 1750년 4월에 조성되었음을 알 수 있다. 괘불을 조성한 인물은 처일處一스님과 보일普捻스님이다. 처일스님은 당시 은해사에 머물며 총 4점의 불화를 조성하였는데, '은해사괘불탱화'와 더불어 '은해사대웅전후불탱화', '백흥암아미타설법도', '염불왕생첩경도추정'가 그것이다. 나머지 세 개의 불화와 다르게 '은해사괘불탱화'만이 부처님을 단독으로 배치한 독존獨尊 형식을 취하고 있다. 또 다른 특징으로는 중부 좌우에 모란꽃을 큼지막하고 화려하게 그려내고 있다는 점이다.

괘불탱화에 모란을 그려낸 불화佛畫는 흔하지 않은데 이 괘불탱화가 우리에게 건네고 있는 '은해사괘불탱화'만의 이야기는 무엇일까.

원래 은해사당시는 해안사는 운부암 아래에 자리하고 있었다. 하지만 화재로 소실 되었다가 1546년명종 1 천교화상에 의해 현 자리에 새롭게 중건하게 되었다. 재건 당시 왕실의 특별한 배려가 있었던 것으로 보이는데, 그 이유는 인종 태실을 팔공산 동쪽 기슭에 모신 인연으로 보인다. 중건 이후 2백 년의 세월이 지나 '은해사괘불탱화'가 조성되었는데, 당시 은해사 사정에 대한 부분은 정조가 내린 「순영제음巡營題音」을 통해 엿볼 수 있다.

> 도내道內에 있는 명산의 고찰古刹이 모두 없어지고 퇴락하여 종경[鍾磬: 아악기 雅樂器에 속하는 타악기, 쇠로 만든 편종 編鍾, 특종 特鍾과 돌로 만든 편경 編磬, 특경 特磬 등을 총칭한 말] 소리 듣지 못하는 상황이니 실로 안타까운 일이다. 이는 전적으로 각영各營 및 각읍各邑의 수장이 절을 전혀 돌보지 않고, 담당 아전배[衙前輩: 각 관청 官廳에 딸려 벼슬아치 밑에서 일을 보던 중인 中人 계급 階級의 직급 무리]에게 일임하여 자의적으로 조종, 침해했기 때문이다. 은해사는 본시 팔공산의 거찰巨刹이고, 백흥암은 막중한 수호처이며, 선조先朝의 어압御押 수결手決이 있어 이치상 지극히 존엄한 곳이므로 만약 털끝만큼이라도 침해하는 폐단이 있으면 즉시 감영에 보고하여 엄벌에 처한다.
>
> 「순영제음巡營題音」

괘불탱화 조성 당시 은해사에 대한 왕실의 관심을 알고서 '은해사괘불탱화'를 보면 모란의 의미가 살아난다. 조선 당시 모란은 궁중 장식화의 대표적인 꽃으로, '부구'와 '성공' 그리고 '길흉 점치기' 등을 상징하는데, 궁중 장식화 모란의 특징이 고스란히 '은해사괘불탱화'에 나타나 있다.

첫째, 모란의 묘사를 비교적 사실적으로 그려냈다는 점, 둘째 꽃 몽우리가 덜 핀 모란과 활짝 핀 모란으로 일정하지 않는다는 점이 그것이다. 이와 같이 개화開花의 유무는 곧 길흉을 뜻하는 것으로 왕실이 길흉을 능히 따져 나라를 잘 운영할 것을 기원하는 의미를 지니니 곧 복福을 뜻하기도 한다.

모란꽃의 실물과 그림 ⓒ문화재청

일정하지 않은 꽃 모양 ⓒ문화재청

여기서 끝이 아니다. '은해사괘불탱화'를 그려낸 바탕천은 비단의 일종으로 '초綃'라는 재질로 제작되었는데, 초는 왕실에서 쓰는 특수한 직물로 현재까지 괘불탱화에서 바탕천 전체를 초로 사용한 것은 '은해사괘불탱화'가 유일하다. 이처럼 '은해사괘불탱화'의 여러 흔적들은 당시 은해사와 왕실과의 관계를 짐작케 한다.

백흥암 전경

3. 또 하나의 극락세계, 태실수호사찰 백흥암

　　은해사 산내 암자인 백흥암百興庵의 창건 당시 이름은 백지사栢旨寺
로 신라 869년 경문왕 9 혜철국사惠哲國師, 785~861가 창건하였다. 백지사栢旨寺
라는 사찰명은 사찰 주변 산림의 형상[林相]을 따라 주위에 잣나무가 무성하
여 붙여진 이름이다.
　　백흥암은 별도의 일주문 없이 보화루寶華樓가 수문장의 역할을 하고 있다.
보화루를 통해 안자에 들어서면 정면에 극락전極樂殿이 보이고, 오른쪽에는

백흥암 백흥대난야

'지혜의 칼을 찾는 집'이라는 뜻의 심검당尋劍堂과 왼쪽에는 고승·선지식의 초상을 모시는 진영각眞影閣이 눈에 들어온다. 보화루 상단을 보면 '백흥대난야百興大蘭若'라는 대중들에겐 다소 낯선 의미의 현판이 있다. 백흥百興은 사찰의 명칭이고, 난야蘭若는 아란야阿蘭若의 준말로 삼림森林이나 숲을 뜻하는데, '세상의 소음이 닿지 않는 고요한 곳', '인적이 드문 곳'이라는 의미로 스님들이 수행하는 도량을 뜻한다.

이에 대난야大蘭若라는 의미는 '큰 도량'으로 해석된다. 하지만 백흥암의 규모를 생각한다면 '대大'의 의미는 물리적 규모 보다는 '대大'의 다른 의미인 '훌륭한·뛰어난'이라는 형용의 의미로, '훌륭한 도량' 또는 '뛰어난 도량' 정도로 해석하는 것이 더욱 어울리는 듯하다. 실제로 현재도 백흥암은 비구니 수행처로 사용되고 있다.

태실수호사찰로 중흥되다

조선 중기 1521년중종 16 팔공산에 왕세자훗날의 인종의 태胎를 봉안하게 되면서 백지사현 백흥암는 '막중수호지소[莫重守護之所: 중요한 것을 수호하는 곳]'로 지정된다.

인종은 1515년중종 10 2월 25일 경복궁에서 태어났는데, 인종의 태실 조성은 인종 나이 6살인 1521년에 이루어졌다. 이는 인종이 6살에 세자로 책봉됨에 따른 것이었다.

하지만 인종이 왕위에 오른 그 해 세상을 떠나게 되면서 명종이 왕위를 잇게 되었다. 명종이 왕위에 오르면서 사실상 실권은 문정왕후가 잡게 되었는데, 효심이 지극했던 인종의 죽음을 안타까이 여겨서였을까? 명종 원년인 1545년 인종 태실은 가봉[加封: 태실의 주인이 왕으로 즉위한 뒤 태실 주변에 난간석과 비석 등을 새로 조성하는 의식]을 하게 된다. 이후 1711년숙종 37에 다시 다듬어졌다.

인종 태실 전경 ⓒ은해사성보박물관

하늘에서 바라본 인종 태실 모습

　백흥암은 태실 조성과 더불어 영조 대왕의 어압[御押: 임금의 자필을 새긴 도장]까지 봉안하게 되면서 국가적 차원에서 지원과 보호를 받게 된다.

「순영제음巡營題音」・「완문完文」

영천 팔공산에 있는 인종대왕의 태실胎室에 관한 지키고 보호하는 여러 절차는 모두 은해사에 위임되었지만, 그중에 백흥암은 태실에 가장 가깝고 중요한 곳이므로 그에 대한 금호[禁護] 침해 금지와 수회사안이 다른 곳보다 더욱 긴요한 만큼 해당 암자의 승역僧役은 터럭만큼도 침해하지 말 일이리라.

어압御押을 받들어 안치한 사안은 각별히 소중한데 경사京司의 감독이 요즈음에 다시 엄격해졌기 때문에 감영監營 본관本官의 잡역雜役을 전례대로 감면한 뒤 완문을 발급하는바 영역 담당 승도僧徒들도 이 뜻을 받아들여 영역의 각계 사안을 일체 침해하지 달라. 만약 완문의 뜻을 무시하고 또 다시 침해하는 폐단이 발생할 경우 해당 승려들은 본관에 보고하여 엄벌에 처하도록 하여 영구히 준행할 것이다.

「완문完文」

실제로 『명종실록明宗實錄』에 보면 인종 태실 비석을 훼손하였다가 범인이 잡힌 일화가 그려져 있기도 하다. 태실 수호사찰이 된 이후 1546년명종 1 천교대사天敎大師가 중창하였는데, 이때 사찰명을 '백지栢旨'에서 '백흥百興'으로 바꾸게 되었다는 설이 전해진다.

천교대사는 은해사에서 팔공산에 이르는 산세가 마치 용이 승천하는 기세와 같으므로 운부암雲浮庵에서 일어나는 상서로운 구름이 더욱 많이 일어나 이를 돕는 뜻에서 '백흥'이라는 이름을 붙였다고 한다. 또 다른 사명 관련 일화로는 1810년 제월과 성안에 의해 기록된 「백흥암중흥유공기百興菴重興有功記」에 따르면 1772년영조 48 백흥암 동대東臺를 쌓았던 설화雪華선사와 영산전과 시왕전十王殿 불상을 개분改粉한 도봉道峯선사 그리고 대웅전 불상을 개금改金 했던 자암紫巖선사, 이렇게 3대 선사가 절을 부흥시켜 그 이름을 '백흥'이라 하였다'고 전한다. 하지만 1765년에 제작된 『여지도서輿地圖書』에 이미 '백흥암'이라 기록되어 있어서 이 설은 논의의 여지가 있어 보인다.

연 대	내 용
1643년인조 21	극락전 보수
1646년인조 24	대웅전의 금고金鼓 조성
1651년효종 2	다법당, 누각, 조계문, 요사 2동 조성
1673년현종 14	여러 전각의 단청과 벽화, 그리고 극락전의 아미타삼존상을 새롭게 개보수
1712년숙종 38	법당 누각, 청왕문 등 단청
1714년숙종 40	금포정 조성
1730년영조 6	보화루가 중수
1737년영조 13	법당 · 누각 · 천왕문 등에 단청을 입힘
1750년영조 26	대웅전 후불탱 · 괘불탱 봉안
1755년영조 31	대중전 삼장탱 봉안
1761년영조 37	천왕문 조성
1762년영조 38	감로탱화가 조성되는 등 계속해서 크고 작은 조성과 중건
1858년철종 9	영산전 보수
1878년고종 15	보화루 보수

17세기 ~ 19세기까지의 백흥암 변천

백흥암은 1985년 이전까지만 해도 임진왜란의 피해 여부에 대한 부분이 불분명하였다. 하지만 1985년 백흥암 극락전을 해체 수리하는 과정에서 「숭정십육년 세차계미 원월일시발어유월일상량崇禎十六年 歲次癸未 元月日始發 於六月日上樑」이라는 묵서墨書가 발견되었는데, 여기서 1592・1593년에 피해를 입었다가 반세기 이후, 1643년 중건에 돌입했음이 기록되어 있다.

이러한 조선 후기의 중건 과정에서 보물 제486호1968년 지정로 지정된 극락전 수미단[須彌壇: 절의 법당 내부에 상상의 산인 수미산 형태의 단을 쌓고 그 위에 불상을 봉안한 단상]과 보물 제790호1984년 지정 백흥암 극락전이 조성되었다. 수미단과 전각이 나란히 보물로 지정된 것은 백흥암이 유일하다.

묵향이 서린 고요한 수행처

백흥암은 추사 김정희秋史 金正喜, 1786~1856와도 인연이 있다. 백흥암 보화루에 있는 '산해숭심山海崇深'과 진영각의 '시홀방장十笏方丈'이 추사의 글이다. 이 두 글귀는 흔히 사찰에서 볼 수 없는 문구이다.

'산해숭심山海崇深'이라는 글은 청나라의 서예가이자 금석학자인 옹방강翁方綱, 1733~1818의 글이다. 그가 제자인 추사에게 학문 태도를 격려하며 보낸 편지에 적힌 '옛것을 고찰하여 오늘을 증명하니 산처럼 높고 바다처럼 깊다[攷古證今 山海崇深]'라는 잠언 구절의 일부인데, 백흥암이 좋은 수행처로 자리 잡길 바라는 추사의 염원이 담긴 글로 보인다.

진영각의 현판에 적힌 '시홀방장'의 뜻은 유마거사維摩居士에서 비롯된 것이다. 시홀방장은 유마거사가 머물던 방 이름인데, 어느 때인가 많은 불보살들이 유마거사의 방을 찾아뵈었다. 작은 방에 의자가 하나인 것을 걱정하였으나, 유마거사가 신통력을 내어 3만 2천 개의 사자좌[獅子座: 부처님이

산해숭심 편액 ⓒ국립대구박물관·은해사성보박물관

백흥암 시홀방장

앉는 큰 의자]를 들여놓아 부족함이 없었다고 한다. 이는 '시홀방장[홀 열 개의 길이[10장=1척]상응하는 방에', 즉 '작은 방'을 뜻 하지만, 우주를 담아내는 큰 방이기도 하니 곧 우리네 마음과도 닮아있다. 현재 이 방은 산중 절의 제일 어른이신 방장 스님이 거처하시는 곳이라는 뜻으로도 통용된다. 백흥암과 은해사에 소장된 추사의 작품들은 대부분 1848년[헌종 14] 제주 귀양살이에서 돌아온 이후의 것들이라고 한다.

화엄실

보화루

추사뿐만 아니라 백흥암에는 청허휴정淸虛休靜, 1520~1604의 법손法孫인 기성쾌선箕城快善, 1693~1764과 화엄학 대강백인 영파성규影波聖奎, 1728~1812의 편액[扁額: 건물이나 누루 중앙 윗부분에 거는 액자]도 전하고 있다. 백흥암을 방문하면 처음으로 보게 되는 '보화루寶華樓'라는 편액이 바로 기성쾌선의 작품으로 알려져 있다. 그리고 영파성규의 글은 진영각 '시홀방장' 옆 '화엄실華嚴室'이라는 편액에서 찾을 수 있는데, 편액 방서[傍書: 글 곁에 쓰는 글]에는 '영파 사문이 운부암과 더불어 손수 써서 걸다.'라고 전하고 있다.

백흥암은 창건 이후 고려시대 때까지의 사료는 보이지 않다가 조선 초 문장가였던 유방선柳方善, 1388~1443이 남긴 「백지사에 머물며」라는 오언율시[五言律詩: 한 구가 다섯 글로 된 율시가 『인재선생문집寅齋先生文集』에 수록되어 있어서 당시 절의 온정을 엿볼 수 있다.

19세기 고운사를 대표하는 강백이자 문장가였던 함홍치능涵弘致能, 1805~1878 또한 백흥암에 머굴며 시를 남겼는데 그 내용에는 오랜 세월 백흥암이 승려들의 수행처로 사용되었음을 엿볼 수 있다.

蹉跎世事不曾謀	어그러진 세상사 다시 도모하지 않고
林下惟羣鹿豕遊	수풀 아래에서 사슴 떼 멧돼지와 노니나니
一秣雲烟疑佛塔	한 무더기 구름은 불탑에 맺혀 있고
百年松檜擁禪樓	백 년 묵은 소나무들 선문의 누대 옹호한다
磨來道鏡靑山靜	도의 거울을 탁마하는 청산은 고요하고
滌去塵心碧澗流	때 묻은 마음 씻어 내는 푸른 시내 흐르나니
嶺外伽藍名勝地	산마루 밖 가람, 명승지에
禪宗講伯古今留	선문의 종사와 강백들 예나 지금이나 머무는구나

『함홍당집涵弘堂集』「근차백흥암판상운謹次百興庵板上韻」

이처럼 백흥암은 당대의 명필이며 문장가인 추사는 물론 선승들의 묵향을 가득 품은 산처럼 높고 바다처럼 깊은 수행처로, 선현이 묵향에 담은 수행자의 지조와 호쾌함이 오늘도 '백흥난야'를 지키고 있다.

조선 후기 극락세계 장엄을 보여주는 백흥암 극락전

극락전이란 아미타부처님이 상주하시는 극락세계를 담아낸 공간이다. 백흥암에도 아미타부처님을 모신 극락전이 있는데 1643년인조 21 중건의 과정을 거쳐 임진왜란으로 소실되었다가 다시 재건하여 지금에 이르고 있다.

「백흥암극락전단확공덕기百興庵極樂殿丹艧功德記」에 따르면 1817년 극락전이 낡아 허물어지려고 하니 당시 주지였던 전암홍공轉庵洪公스님이 단청을 가하기로 결심하였다. 이에 암자의 대중들이 사양하지 않고 시줏돈과 땅을 보시하였다.

백흥암 극락전

이때 단청과 동자주[童子柱: 들보 위에 세워 도리나 마룻대를 받치는 짧은 기둥] 보수와 함께 번와[翻瓦: 지붕의 기와를 갈아 덮음]를 하였다.

백흥암의 또다른 기록인 「백흥암중창기百興庵重刱記」에 따르면 1849년 청봉윤화青峰潤和스님을 필두로 불사를 시작하여 4개월 만에 '큰집[大屋]'을 수리하였다고 되어 있다. 이 '대옥大屋'이 어떠한 가람인지 명확히 밝히고 있지는 않으나 '대옥'이라는 표현으로 볼 때 백흥암에서 가장 상징적 건물인 극락전의 중수였던 것으로 추정된다.

근현대에 들어서는 1969년 번와 보수, 1985년 극락전 드잡이공[내려앉거나 기울어진 전통 목조 건조물이나 석조 건조물 등의 뒤틀림, 기울임 또는 파손된 부분을 바로잡고 원형에 맞게 복원] 및 교체, 부재 고색 단청, 1997년 극락전 기단 및 배면 석축, 2000년 극락전 재보수, 2011년 극락전 포벽[공포栱包와 공포 사이에 마련된 벽] 보존처리 등의 공사가 이루어졌다.

　백흥암 극락전 내부에는 조선 후기에 조성된 아미타삼존상이 봉안되어 있고, 그 뒤에는 아미타삼존도1750년 조성가 극락세계에 계신 아미타부처님을 더욱 장엄莊嚴하고 있다. 아미타불을 받치고 있는 대좌[臺座: 불신과 광배를 받치는 자리]는 오직 용으로만 장식하고 있는데, 이는 백흥암이 태실수호사찰로 왕실의 원찰願刹이었던 당시 사격寺格을 보여주는 대목이다.

　백흥암 극락전에는 총 26점의 나한도가 보이는데 8점은 외부 포벽에, 그리고 나머지 18점은 내부 내목도리[內目道理: 들보에 직각으로 기둥과 기둥 사이에 둘러 얹혀서 연직하중 또는 수평하중을 받는 가로재] 윗벽에 그려져 있다. 나한도 벽화가 후불벽보다 불전의 상부에 위치하는 것은 조선 후기의 특징으로 백흥암 나한도의 조성 시기를 짐작할 수 있는 단서이다. 이와는 다르게 당시 중국의 명·청 시대에는 나한벽화를 주로 불전 좌우에 위치시켜 예배화 용도로 사용되었다. 상부에 나한도를 그려내는 것은 동아시아 일대에서 조선만이 가진 독자적인 특징이다.

백흥암 극락전 아미타삼존불

백흥암 극락전 아미타불 대좌의 용龍

백흥암 극락전 아미타삼존상과 아미타삼존도

외부 포벽 나한도

내부 내목도리 나한도 2점

제5장_1200년 묘법해妙法海에 깃든 극락세계를 찾아서 **179**

극락전에 피어난 수미단 장엄 이야기

수미단須彌壇은 불상佛像을 모시는 단상이다. 수미단의 구조는 크게 상대上臺·중대中臺·하대下臺 3단으로 이루어져 있다. 상대는 대좌를 지탱해주는 판재이고, 중대는 다시 3단[상단·중단·하단]으로 구분되어 다양한 조각들로 장엄되어 있으며 그 장엄에 따라 당시의 시대상, 제작 의도, 지역적 특성이 내포되어 있다. 하대는 수미단을 받치는 다리 역할을 한다.

백흥암 부처님과 수미단 정면

백흥암 수미단 좌측면과 우측면

	좌측면		정면					우측면	
상대	나무판								
중대	기린	잉어 게 연꽃	공작 국화	봉황 모란 연꽃	운학 모란 운문	봉황 모란 연꽃	꿩 동백	청학 모란	황학 연꽃
	제어 게 모란	신귀 마갈어 연꽃	청·황룡 연꽃 귀갑동자	황룡 연꽃 귀갑동자	황룡 귀갑동자 개구리 물총새	황룡 연꽃 귀갑동자	잉어 연꽃	기린	저인국
	가릉빈가	응룡 신귀	육아백상 모란	기린 모란	사자 모란	기린 모란	해태 모란	잉어 연꽃	저인국
하대	귀면	귀면	귀면	용	용	용	귀면	귀면	귀면

백흥암 수미단 도상 상세

중대中臺, 상단에 숨은이야기

수미단 중대中臺 상단 정면을 보면, 공작·국화, 봉황·모란·연꽃, 운학雲鶴·모란, 꿩·동백과 같은 상서로운 새들과 함께 꽃이 장엄되어 있고, 상단 좌측면에는 기린麒麟, 게·잉어·연꽃이 조각되어 있다. 그리고 우측면에는 현생 세계의 길조吉鳥라 할 수 있는 청학靑鶴·모란, 황학黃鶴·연꽃이 조각되어 있다. 이는 상단에 하늘이라는 공간적 의미를 부여하여 관련된 여러 도상들을 그려낸 것이다.

상단 정면

상단 좌측면

상단 우측면

중대中臺, 중단에 숨은 이야기

　수미단 중대 중단 정면을 보면, 5칸 중 4칸에 황룡 또는 청룡·연꽃·귀갑동자·개구리·물총새가 조각되어 있고, 나머지 한 칸에는 잉어·연꽃이 수 놓아져 있다. 용은 본디 왕을 뜻하는 상징적 동물이고, 잉어 또한 유교에서는 왕의 의미를 가지고 있어 중대 중단 정면에 조각된 모든 도상들은 왕을 뜻한다는 것을 알 수 있다. 중단 좌측면에는 게와 다리가 있는 물고기인 제어鯑魚·연꽃 그리고 신귀神龜와 마갈어摩竭魚가 수놓아져 있고, 우측면에는 기린麒麟·연꽃, 사람 머리에 잉어 몸을 가진 저인국氐人國 사람·연꽃이 그려져 있다. 이는 수미단 중대 중단에 '수중水中'이라는 공간적 의미를 부여해 조성한 것이다. 상단의 기린과 달리 중단 우측면에 있는 기린은 수생식물인 연꽃과 함께 그려져 있는데, 이는 기린이 물에서 노니는 것을 형상화한 것으로 보인다.

　신귀는 사람의 머리에 몸은 거북을 닮아있어 기이하면서 신비롭다. 수미단에 이 도상을 조각한 이유는 무엇일까. 신귀에 대한 부분은 『이아爾雅』에 잘 묘사되어 있는데, 그 내용을 보면, 신귀는 거북 중 가장 신령하다면서 "신귀의 모양은 위는 하늘을 본받아 둥글고, 아래는 땅을 본받아 네모지고 등 위는 언덕과 산을 본받아 높이가 낮고 접시 모양이 있으며 거무스름한 무늬가 서로 엇갈려 뒤섞여서 나열된 별자리를 이루며 길이는 1척 2촌인데 길흉을 밝히니 말하지 않아도 믿는다."라고 표현되어 있다. 신귀는 길흉을 밝혀준다고 하니 왕실이 지혜롭게 길흉을 가늠하여 나라를 운영하길 바라는 마음이 담겨있는 도상으로 보인다.

중단 정면

중단 좌측면

중단 우측면

신귀神龜

중대中臺, 하단에 숨은 이야기

수미단 중대 하단 정면에는 상아가 여섯 개인 흰 코끼리[六牙白象]·모란, 기린사슴형·모란, 사자·모란, 기린사슴형·모란, 해태·모란이 각 구획으로 나뉘어 장엄되어 있다. 하단 정면에 조각된 기린은 중대에 그려진 기린과 달리 육지 식물인 모란과 함께 조각되어 있어 기린이 육지에서 노니는 모습을 나타낸 것이 특징이다.

나머지 동물들코끼리·말·사자 역시 육지에서 살아가는 공통점이 보인다. 하단 좌측면은 여느 좌측면과 같이 두 개의 칸으로 나누어져 있다. 가장 끝쪽 좌측 칸에는 가릉빈가[迦陵頻伽: 극락에 사는 상상의 새로 그 형상은 인두조신상人頭鳥身像을 하고 있다.]가 공양물로 3천 년에 한 번 열매를 맺는다는 복숭아[蟠桃]를 들고 있다. 그리고 그 옆 칸에는 신귀神龜와 날개 돋힌 응룡應龍이 서로 마주 보고 있다. 하단 우측면에는 쏘가리·잉어·모란·연꽃, 저인국·연꽃이 조각되어 있다.

중대 하단 도상들 중에 눈에 띄는 조각은 단연 불교의 상징인 흰 코끼리이다. 불교에서 어금니가 여섯 개인 흰 코끼리는 불보살의 화신化身으로 간주되는데, 이는 부처님의 모친인 마야부인이 부처님을 잉태했을 당시 태몽에서 상아가 여섯 개인 흰 코끼리가 옆구리로 들어오는 꿈을 꾸었다는 설화에 기인한다. 이러한 이유로 불교 국가인 태국은 흰 코끼리를 수호신으로 떠받들어 신성한 동물로 여기기도 한다. 탄생을 의미하는 인종의 태실 수호와 관련지어보면 새 생명의 탄생, 더 나아가 왕실의 번영과 안녕을 기원하는 도상일 것이다.

또 하나 눈길을 끄는 도상은 신귀가 보주寶珠를 들고 응룡으로 나아가는 도상이다. 이 도상은 마치 신귀가 응룡에게 공양물을 올리듯 두 손으로 보주를 받치는 듯한 형상을 하고 있다. 앞서 살펴본 대로 신귀는 미래의 길흉을 능히 안다고 하였고, 용은 왕을 뜻하는 것이니 신귀가 미래의 길흉을 따져 왕에게 아뢰는 형상으로 해석할 수 있으니 왕실과 국가의 안녕을 바라는 마음에서 조각된 도상으로 보인다.

하단 정면

하단 좌측면

하단 우측면

육아백상六牙白象

신귀와 응룡

백흥암 수미단 상대에 얹혀있는 대좌는 오직 용으로만 조각되어 있고, 수미단에도 총 7마리의 용이 조각되어 있다. 이처럼 백흥암 수미단에 가장 많이 조각된 도상은 '용'이다. 인종의 태실수호사찰로서의 백흥암을 이해할 수 있는 가장 큰 단서이기도 하다. 조선 정종의 태실이 있는 김천 직지사 수미단에 11마리의 용이 장엄되어 있는 것, 세종대왕의 태실이 있는 성주 선석사 수미단이 용으로만 장엄된 것처럼 말이다. 하지만 백흥암 수미단의 남다른 특징이라면 중대의 단마다 하늘, 바다, 땅이라고 하는 공간적 구분을 통해 도상들을 조각했다는 것이고, 또 왕실의 상징인 용에만 집중하지 않고 동아시아 세계에서 고대로부터 내려오는 다양한 상서로운 동물들을 통해 수호의 의미를 더욱 부각시키고 있다는 것이다.

중대를 지나 수미단의 가장 아래쪽인 하대는 족대형足臺形으로 3면(정면·좌측면·우측면)에 걸쳐 용龍, 귀면[鬼面: 귀신의 가면 또는 얼굴]이 각각 조각되어 있다. 가운데 3칸에 용이 조각되어 있고, 용을 중심으로 양쪽 6칸에 귀면을 배치시켰다. 용이 왕을 상징하는 것을 감안해 보면 귀면들이 왕을 수호하는 구조이다.

하대 정면

하대 좌측면

하대 우측면

또 하나의 이야기, 수미단의 기린麒麟

왕실의 번성과 나라의 태평太平을 기원하다

　기린麒麟은 예로부터 자애심慈愛心이 가득하여 살아있는 동물을 잡아먹지 않는 것은 물론 식물도 함부로 하지 않는 동물이라 하여 인수仁獸로 여겨졌다. 이에 옛사람들은 기린은 길吉한 동물이기에 기린을 실제로 보면 복이 온다고 믿었다.

　기린의 형태는 크게 세 가지로 나눌 수 있다. 첫째는 사슴형으로 사슴의 몸에 꼬리는 소와 같은 것이 특징이고, 둘째는 말馬형으로 사슴의 형태가 점차 말의 형태로 변화된 모습을 가지고 있다. 셋째는 용龍형으로 상서로운 기린의 대표적 이미지로 많은 부분 말형 기린과 유사하나 머리가 용인 것이 특징이다. 백흥암 수미단에는 총 네 마리의 기린이 보이는데, 용형이 한 마리, 말형이 두 마리, 사슴형이 한 마리이다.

　이처럼 옛사람들이 만나면 복이 온다고 하는 기린을 우리는 백흥암 수미단에서 만날 수 있다.

기린 _ 사슴형

기린_말형

기린_용형

	좌측면		정면					우측면	
상대	나무판								
	기린 (용형)	잉어 게 연꽃	공작 국화	봉황 모란 연꽃	운학 모란 운문	봉황 모란 연꽃	꿩 동백	청학 모란	황학 연꽃
중대	제어 게 모란	신귀 마갈어 연꽃	청·황 룡 연꽃 귀갑동자	황룡 연꽃 귀갑동자	황룡 귀갑동자 개구리 물총새	황룡 연꽃 귀갑동자	잉어 연꽃	기린 (말형)	저인국
	가릉빈가	응룡 신귀	육아백상 모란	기린 (말형) 모란	사자 모란	기린 (사슴형) 모란	해태 모란	잉어 연꽃	저인국
하대	귀면	귀면	귀면	용	용	용	귀면	귀면	귀면

백흥암 극락전 수미단 기린 부분

불교에서 기린은 용, 봉황 등과 함께 신성시神聖視되는 상상의 동물이다. 불교 미술에서의 기린은 일찍이 돈황 막고굴 벽화에서 발견되고, 한국의 경우 예불공양도禮佛供養圖가 있는 장천 1호분에서도 기린이 함께 하니 불교와 기린의 깊은 관계성을 알 수 있다. 물론 이러한 불교와 기린의 관계성은 도교적인 서수신앙瑞獸信仰의 영향이 없지 않다.

한반도의 경우 불교와 기린의 관계에 대한 연원은 삼국시대를 시작으로 통일신라시대에 이르러서는 이미 여러 가람에서 기린무늬[麒麟文]의 기와가 발견될 만큼 활발히 활용되었던 것으로 보인다.

고려시대에는 봉은사 극사 해린海麟, 조계종의 경린景麟, 내원당內願堂의 현린玄麟 등 여러 선승의 법명에 '린麟'을 사용하기도 했다. 조선시대에는 건축 장식, 특히 수미단에서 자주 발견되는데 그 시기는 조선 후기에 집중된다. 이처럼 기린은 의미와 글자 그리고 장엄·도상적 요소로서의 사용처는 다양했다.

백흥암 극락전 수미단의 조성 시기를 정확히 알 수 없지만, 극락전이 중수되었던 1643년인조 21에 함께 조성되었다면 이 또한 조선 후기의 작품으로 추정된다. 그렇다면 조성 당시 '기린'의 의미는 무엇이었을까.

기린은 조선시대 사람들에게 세 가지 의미를 지닌 신성한 동물이었다. 첫째, 하늘과 땅을 이어주는 천지교통天地交通의 매개체로서의 의미이고 둘째, 자손 번성의 의미며 셋째, 태평천하太平天下로서의 의미를 가지고 있다.

기린이 갖는 첫 번째 의미는 도교에서 시작된 아이디어이다. 조선시대 사람들은 기린이 선계仙界로 인도하는 동물이라 믿었다.

桂之樹	계수나무여
何團團	어이 그리 이슬맺혔나
葉如翠羽茁	잎은 자라나는 물총새 깃 같고
根似蒼虯蟠	뿌리는 서려있는 푸른 용 같은데
威鳳宿其頂	위엄 있는 봉은 꼭대기에 깃들고
縞鶴遊其間	흰 학은 그 사이에 노닐도다
桂之樹	계수나무여
何葱葱	어이 그리 푸르른고
何來廣成翁	어디서 온 광성옹廣成翁이
棲止桂樹東	계수나무 동쪽에 거처하면서
貽我刀圭	나에게 도규刀圭를 주고
迪我玄風	나를 현풍으로 인도한지라
斑麟車素霓旌	얼룩 기린 수레에 흰 무지개 깃발을 꽂고
白日沖雲空	백일청천에 하늘을 오르도다

『상촌선생집象村先生集』 4권 「계지수행桂之樹行」

기린을 통해 가는 하늘은 곧 선인仙人들이 사는 선계仙界이다. 조선 초 문인인 권근은 자신의 문집에서 「기린굴麒麟窟」이라는 시를 남겼는데, 이 시에서도 선계에서 기린이 노니는 장면이 나온다.

山前窟穴最深幽	산 앞에 굴이 뚫려 깊고도 그윽하니
榾眞人昔此留	옛적의 진인이 살던 데라 얘기하네
麒麟自馴天上至	기린이 저절로 천상에서 내려오자
鬼神爲導地中遊	귀신이 인도하여 땅 속에 노닐었다고

> 冥冥有路通仙府　　뵐 듯 말 듯 길이 나서 신선 마을로 통하고
> 渺渺無蹤絶俗流　　아득아득 자취 없어 속세와 끊어졌네
> 語怪縱然非聖道　　괴이는 성인도 말 않는다 했지마는
> 題詩聊記所傳由　　시 쓰자니 전설의 유래를 다룰 걸세
>
> 『양촌집陽村集』「기린굴麒麟窟」

　기린을 매개로 도달한 선계는 시끄럽고 복잡한 세상살이를 모두 내려놓는 평온의 세계이다. 조선 사람들이 당시의 국시國是였던 유교도, 민생의 마음을 달래주었던 불교도 아닌 도교적 의미에서 기린을 해석했다는 것은 의외로 생각될 수 있다. 하지만 사실 한반도에서 도교는 유교와 불교에 흡수된 형태로 자리하고 있었기 때문에 당시에도 도교적 해석이라 하여 이질적이거나 당시의 반사상적 의미라고는 받아들여지지 않았을 것이고, 오히려 세상을 바라보는 자연스러운 하나의 시선이었을 것이다.

　다음으로 조선 왕실에서는 '기린'을 자손만대의 번성이라는 의미로 해석하였다.

> 하늘처럼 건전하고 밝으심은 공정 대왕恭定大王의 덕德이요, 땅처럼 후厚하고 바르심은 원경 왕후元敬王后의 법칙이네. 살아서는 금슬琴瑟의 벗이요, 죽어서는 같은 땅에 묻히었네. 자손이 번성하니, 아아! 그 기린麒麟같은 자손이 끊이지 않고 종묘 제사를 억 만 년 이어가리.'하였다. 신이 절하고 사詞를 바치니 굳고 단단한 돌에 새기어 만세토록 마멸磨滅되지 않고, 우리 동방東方에 비추게 하소서.
>
> 『태종실록太宗實錄』권 제36 태종 18년 11월 8일 갑인 조

많은 선비를 봉황새인양, 나라의 문화 찬란하고, 번성한 자손은 기린이
런가, 왕업의 운수 끝이 없어라.

『정조실록正祖實錄』 권 제18 정조 8년 12월 5일 병술 조

『조선왕조실록』에서 기린은 자손만대가 번성하기를 바란다는 의미로 자주 사용된다. "북도北道에서 소가 기린麒麟을 낳은 일이 있으니, 성인聖人이 장차 나올 것이다.", "기린의 태어남은 개와 양과 다르고 신인神人의 태어남은 보통 사람과 다릅니다."라는 실록의 기록은 기린이 장차 성인이 될 왕손이 태어날 것이라는 길吉한 의미로도 사용되었음을 알 수 있다. 조선 왕실에서 기린의 의미는 자손의 번성 그리고 훌륭한 자손과 관련한 길한 표현의 의미였다.

『시경詩經』에 소疎를 달아 당대唐代의 공영달孔穎達이 펼쳐낸 『모시정의毛詩正義』에서 기린은 태평의 상징이라 말하며 '태평성대太平聖代였던 고대 중국의 황제黃帝 때와 요순堯舜 시대에는 기린과 봉황이 노닐었다.'라고 기록하였다. 가장 안정적이고 온화한 시대에 기린과 봉황이 노닐었다 하니 예로부터 동아시아 문화권에서는 기린이 태평성대의 상징이 될 수밖에 없다. 이러한 동아시아 문화권 전통은 동양사상에 줄곧 이어져 조선에까지 이르렀다. 조선시대의 문인이었던 상촌 신흠象村申欽, 1566~1628이 쓴 「조롱수朝隴首」라는 시詩에서는 기린의 출현과 태평성대를 동일시하고 있다..

朝隴首　　아침에 농산 꼭대기에서
擧蒐典　　사냥을 거행하였노니
繄白麟　　아 하얀 기린이

入我彌	우리 손에 들어왔네
麗之身	몸은 노루와 같고
馬之蹄	발굽은 말발굽 같은데
伏虎豹	범과 표범을 굴복시키고
臣狻猊	사자를 신하처럼 부리도다
來何自	어디로부터 왔는고 하면
天所畀	하늘이 주신 것이니
王者瑞	왕자의 상서로서
表靈異	영이함을 드러낸 것이로다
驂皇輿	황제의 수레에 채워
服前驅	앞잡이로 삼고서
晨大漠	아침엔 대막까지 갔다가
夕中州	저녁엔 중주로 돌아오도다
于嗟麟	아 기린이여
不世出	세상에 늘 나오지 않나니
於萬年	아 만년토록
寧漢室	한실을 편안하게 하리라

「상촌고象村稿」「조롱수朝隴首」

『조선왕조실록』에서 기린은 봉황과 더불어 백성을 어루만지고 편안케 하는 수호의 의미이자 태평한 세상의 상징으로 표현되기도 한다.

> 성상께서는 마땅히 오늘날의 제도를 준양遵養하시고 백성들을 어루만져 편안케 하시어, 집집마다 시서詩書를 읽고 호호戶戶마다 예의禮義를

지키며, 숲속에는 기린麒麟과 봉황鳳凰이 깃들고, 동산에는 명지莫芝가 난 연후에 거마車馬를 사열하시고 금수禽獸를 사냥하셔도 늦지 않을 것인데, 어찌하여 나라를 다스린 지 10년이 못 되어서 강무講武를 숭상하십니까?

『성종실록成宗實錄』 권 제83 성종 8년 8월 30일 갑자 조

이처럼 상서롭고, 백성을 어루만지고 평안하게 하는 수호의 의미를 지닌 기린을 바로 백흥암의 수미단에서 볼 수 있는 것이다.

백흥암 중건과 극락전의 중창이 모두 왕실과 깊은 관련이 있으니 왕실의 번영, 요나라와 같은 태평성대의 조선을 꿈꿨던 흔적이 백흥암 극락전 수미단에 고스란히 남아있다.

은해사 호연당

제 6 장

은해사가 품고 있는
암자 이야기

地藏大聖威信力
恒河沙劫說難盡
見聞瞻禮一念間
利益人天無量事

지장보살 큰 성현의 위신력은
항하사겁 연설해도 다 말하기 어려워라
잠깐 사이 보고 듣고 한순간만 생각해도
인간천상 이익된 일 한량없이 많으리

은해사 지장전 | 글_지장경

현재 은해사는 거조사, 기기암, 묘봉암, 백련암, 백흥암, 서운암, 운부암, 중앙암 8개의 산내 암자를 두고 있다. 백련암은 은해사와 지리적으로 가까워 사내寺內 암자로 분류하기도 한다. 은해사의 여러 옛 기록들을 보면 은해사와 더불어 산내 암자를 꼼꼼히 함께 언급하고 있어 은해사와 산내 암자가 마치 한 사찰로 착각이 들 정도이다.

은해사의 산내 암자가 가장 많았을 때는 15개1788년 무렵에 이르렀지만, 현재는 8개의 암자만이 법등을 이어가고 있으니 안타까울 따름이다. 그토록 많았던 암자들이 왜 폐사되었는지 기록이나 구체적인 구전은 전해지지 않는다. 하지만 미루어 짐작건대 1847년헌종 13 팔공산에 있었던 큰 화재가 원인인 듯하다. 당시 많은 사찰 및 암자들이 피해가 있었고, 이후 중건·중창되지 못하여 지금에 이른 것으로 생각된다.

어려움을 함께 극복하고 지금까지 은해사와 자리를 지키며 역사를 함께 한 산내 암자 이야기를 시작해 보자.

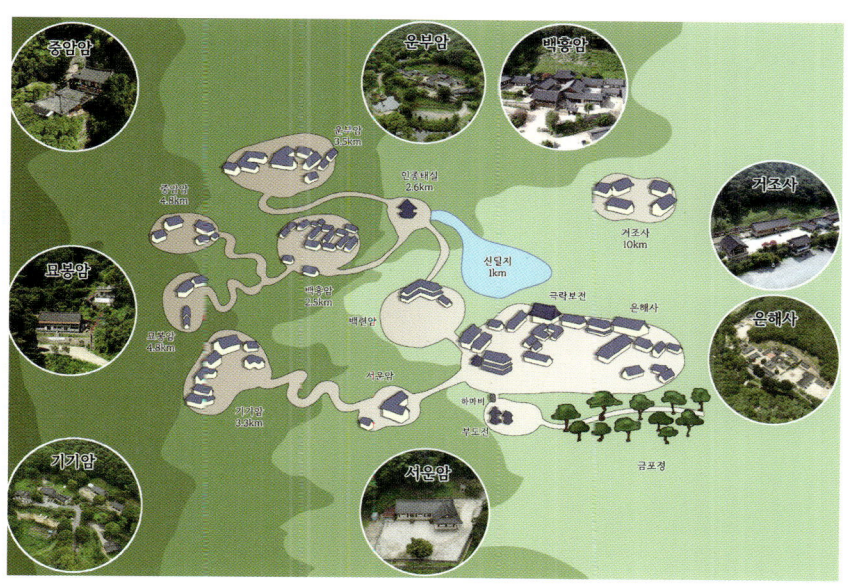

은해사와 산내 암자

제6장_은해사가 품고 있는 암자 이야기

사료史料	당시 존재했던 사찰 및 암자	당시 폐사되었던 사찰 및 암자
「무오갑헌토유공비」(1777)	운부암, 백흥암, 안흥암 충효암, 미타암, 묘봉암 중암암, 거조암, 백련암 서운암, 안양암	
「영천군 은해사 사적」(1798)	백련사, 서운암, 운부암 백흥암, 충효암, 미타암 묘봉선실妙峰禪室, 시-용암보문굴 중암암, 기기암, 봉서암 일출암, 월출암, 오련암 거조사	상용암, 고봉암 사자암 상동림암, 하동림암, 하충효암 상백련암, 원명암, 원통강당
「병오갑유공비」(1822)	안양암, 운부암, 백련암 미타암, 충효암, 중암암 백흥암, 남암, 안흥암 거조암, 묘봉암, 중암암	
「팔공산 은해사 사적비」(1943)	백련암, 서운암, 백흥암 운부암, 중암암, 묘봉암 거조암, 기기암, 백운암	상용암, 상동림암, 하동림암 상백련암, 미타암, 불당암 양성암, 원통암, 사자암 원명암, 상충효암, 하충효암 안양암

사료史料에 기록된 은해사 산내 암자

1. 운부암, 묘법해를 일구었던 선지식들의 수행도량

천하명당 조사도량 남 운부선원 天下明堂 祖師道場 南 雲浮禪院

600년 전통 수행도량 운부선원

운부암은 651년진덕여왕 5 의상대사625~702에 의해 창건되었다. 의상대사가 운부암을 창건한 이후 그 명맥을 이어 오던 중 1308년충렬왕 34 큰 화재로 피해를 입게 된다. 1308년 당시는 충렬왕이 아들과의 정치적 갈등으로 사망했을 때로 나라가 매우 어지러운 시국이었다. 창건 이후 처음 맞는 위기였지만 운부암은 금동보살좌상1333을 조성하고 청동관음보살좌상, 그리고 이를 모실 원통전과 석탑을 조성하여 희미해진 법등을 다시 밝혔다.

신라시대 창건과 고려시대 중건을 거쳐 조선에 이르면 선찰禪刹로, 그리고 고려시대 관음보살좌상을 중심으로 한 관음도량으로 자리매김한다.

유방선柳方善, 1388~1443이 쓴 아래 시에서 우리는 운부암의 분위기를 엿볼 수 있다.

獨訪雲浮寺	혼자서 운부사를 찾아가니
禪房靜可依	선방 고요하여 의지할 만하네
谷深車馬少	골짜기 깊어 수레와 말이 적고
僧老歲年遲	노승은 나이 먹는 법을 잊었도다
竹影侵虛榻	대나무 그림자 빈 걸상을 드리우고

운부암 전경

松風透薄衣	솔바람은 엷은 옷에 사이로 불어오누나
山靈應不昧	산의 신령스러움이 응당 어둡지 않으니
結社會如期	결사의 모임을 기약하네

『태재집泰齋集』

    골짜기 깊어 인적이 드물었던 조선 초기의 운부암은 선 수행하는 스님들이 자리를 지키며 용맹정진하던 수행처였다. 비록 깊은 골짜기지만 수행자들에게 언제나 밝고 푸르름을 간직한 운부암 터는 예로부터 길지吉地로 이름난 곳이었다. 그래서일까? 시간이 흘러도 많은 수행자가 찾는 곳이었다. 1688년에 쓰여진 정시한의 『산중일기』에 보면, 당시 운부암에는 100여 명의 스님들이 용맹정진하고 있음을 전하니 그 수행의 열기가 대단했음을 알 수 있다. 이러한 운부암의 수행도량으로서의 전통은 현재까지 이어지고 있다.

의상대사가 창건한 운부암, 창건 시기에는 두 가지 설이 있다?

운부암은 의상대사625~702에 의해 창건되었지만, 그 시기는 정확하지 않다. 「팔공산은해사사적비」에 따르면 의상대사가 711년성덕왕 10에 창건하였다 하고, 구전口傳으로 내려오는 설화로는 의상대사가 651년진덕여왕 5에 창건하였다 한다.

711년 창건설과 651년 창건설 중 더욱 신빙성 있는 것은 651년이다. 의상대사는 대사의 나이 15세640에 출가하여 25세650에 당나라로 불법佛法을 배우고자 길을 떠났으나 실패하였다. 그 후 스님 나이 36세661 때 되어서야 당나라로 다시금 유학을 떠나게 된다. 운부암 창건 시기 중 하나인 651년이면 스님 나이 26세로 아직 국내에 머물러 있었을 시기이다. 이에 대사가 651년에 운부암을 창건하였다는 것은 시기적으로 아무런 문제가 없다. 하지만 711년은 스님의 사후이니 시기적으로 맞지 않다.

또 다른 운부암 창건설화

의상대사 창건설고 함께 전해지는 또다른 창건 설화가 있다. 구산선문九山禪門 중 하나인 실상산문을 개창한 홍척국사洪陟國師, ?~? 창건설이 그것이다. 홍척국사의 탄생 시기 그리고 열반에 든 시기에 대해서는 알 수 없으나, 그는 헌강왕 때 당나라에 들어갔다가 826년흥덕왕 1에 귀국하였다고 하니 홍척국사가 창건하였다면 운부암의 창건 시기는 대략 9세기가 된다.

그런데 운부암 인근에 있는 사찰들의 창건 시기를 보면, 809년 해안사현 은해사 창건, 869년 백흥암 창건으로 모두 9세기 무렵 창건되었다. 이로 추정한다면 홍척사 창건826설 또한 시기적으로 적절해 보인다. 하지만 정확한 사료가 남아 있지 않아 이 또한 신뢰하기 쉽지 않으니 운부암 창건과 관련한 부분은 불확실한 실정이다.

공산의 명당 연화지에 세운 운부암

　조선 초 이후 선승들의 수행처로 이어져 오던 운부암은 1860년철종 11 화재로 큰 피해를 입게된다. 하지만 이내 응당應虛·침운枕雲 두 스님이 합심하여 2년간 중건을 도모하였고, 이때 법전法殿·설선당說禪堂·조실祖室·영각影閣·노전爐殿 등을 세웠다.

　통일신라 시절부터 민족의 영산靈山 중 하나였던 팔공산, 그 중에서도 가장 길한 터가 운부암이 자리 하고 있는 연꽃 모양의 터, 즉 연화지蓮花地이다.

　연화지는 금강산 마하연과 더불어 한반도 삼천리에서 가장 길지吉地로 뽑히는 곳으로, 한강 이남의 최고 명당으로 알려져 있다. 이를 증명하듯 운부암 입구에는 법타스님이 쓴 운부선원雲浮禪院 비석이 있는데, 이 비석에는 천하명당 조사도량天下明堂 祖師道場 남 운부선원南 雲浮禪院이라 쓰여있다.

　연화지지, 곧 연꽃이 핀 모양의 대지이니 '깨달음을 성취하는 선지식을 배출하는 땅'이라는 의미이다. 남쪽의 운부선원은 북쪽 금강산의 마하연만큼 많은 선지식을 배출할 것이라는 원력을 그 명칭에 담고 있는 것이다.

운부선원

운부암 뒤뜰엔 운부암을 창건한 의상대사가 꽂아둔 지팡이가 자라 거목이 되었다. 천년의 세월을 견뎌낸 거목은 불교의 '무상無常'의 뜻을 보여주려는 듯 속이 텅 비어 기이한 듯 장엄히 불법佛法을 전하고 있다.

운부암 거목

박규수가 운부암에 들른 인연담

선사들의 수행도량이었던 운부암에는 연암 박지원의 손자이자 조선 후기 문신·개화 사상가였던 환재 박규수桓齋 朴珪壽, 1807~1877의 묵향이 남아 있다. 19세기 중엽의 선진 사상가였던 박규수는 박지원의 손자로 실학적 학풍을 계승하면서 사회를 개혁하려고 노력했던 인물이다. 그는 어릴 때부터 뛰어난 천재성을 보여 나이 많은 선배들과도 서로 친구처럼 왕래했다는 일화가 전해진다. 특히 박지원의 제자들을 찾아다니며 폭넓게 배워 안목을 넓혔으며 추사 김정희와도 교분이 깊었다.

운부암에 남아 있는 그의 묵향은 〈원통전圓通殿〉과 〈운부난야雲浮蘭若〉 편액, 그리고 보화루에 걸린 〈팔봉대사진찬八峰大師眞讚〉 현판 등이 있다. 박규수는 왕실 또는 유교와 관련된 곳에는 다수의 편액을 남겼지만, 사찰에 편액을 남긴 것은 찾기가 쉽지 않다. 박규수와 운부암의 인연은 어떻게 맺어졌는지 정확히는 알 수 없지만, 박규수의 행적을 따라가다 보면 그 사정을 엿볼 수 있다. 박규수가 쓴 원통전과 운부난야 편액에는 '계해중동癸亥仲冬' 즉, 계해년1863 한겨울에 제작되었다는 뜻의 방서[傍書: 본문 곁에 있는 글]가 있다.

1862년철종 13, 임술농민항쟁 때에 박규수는 1월 4일 경상좌도 암행어사로 임명되어 항쟁과 관련된 진상 규명과 사태 수습을 위해 경상도에 들른 적이 있었다. 아마 이때 운부암에 들려 자신의 묵향을 남긴 것으로 보인다. 또 함께 추정할 수 있는 것은 '원통전'·'운부난야' 편액뿐만 아니라 박규수는 '팔봉대사진찬八峰大師眞讚'이라는 현판도 썼다. 이로 보아 팔봉대사와의 인연에 의해 운부암에 들렸거나 당시 운부암에 거처하던 응허침담應虛枕曇과의 인연으로 인해 방문했을 개연성 또한 배제할 수 없다. 박규수는 다른 저술서에서 운부암을 언급하지 않는다.

그럼에도 흔치않은 박규수의 사찰 편액이 운부암에 남아있는 것은 글에는 담아낼 수 없는 특별함을 정성스럽게 붓으로 한 획 한 획 써내려가며 표현했던 것이리라. 운부암 그리고 운부암의 선사는 당대의 천재 사상가에게 그런 특별한 존재였던 것이다.

운부암 원통전 편액

운부암 운부난야 편액

영산전 전경

2. 우리네 모습이 담겨 있는 오백나한 도량, 거조사

오백나한 조성과 중수 불사

영산전에 오백나한을 모신 뜻

　부처님의 깨달음은 감추어진 것이 아니었다. 부처님에게 귀의한 수많은 제자들 역시 부처님의 가르침에 따라 깨달음을 성취했다. 그중에서도 아라한과를 얻은 제자들을 별도로 오백 아라한이라 칭한다.
　부처님의 열반 직후 부처님의 가르침을 결집하는 데 참여한 제자도 아라

한과를 성취한 5백의 제자였다고 전해지고, 『법화경』「오백제자수기품」에는 부처와 불국토를 성취할 것이라 수기를 받는 5백의 제자, 곧 오백나한의 이야기가 전해진다.

일찍이 중국에서는 중국불교를 일으키는 데 기여한 전법승과 역경승 그리고 중국과 이웃 나라의 승려까지 아울러 오백나한으로 모시기도 하였다. 보통은 오백나한을 모시는 전각을 나한전羅漢殿 혹은 응진전應眞殿이라고 부른다. 특히 응진전은 공양받을 만큼 수행을 성취한 이들을 모시기 때문이기도 하고, 진리에 부응하여 남을 깨우치는 존재들이기에 그 영험을 강조하여 부르는 명칭이기도 하다.

거조사의 오백나한은 특이하게도 영산전靈山殿에 모셔져 있다. 영산전은 영축산, 곧 『법화경』을 설법하는 회상會上을 의미하니, 「오백제자수기품」에 연원淵源한 것일까? 오백나한을 모시게 된 곡절은 알 길이 없지만, 영산전의 건립이 1375년에 되었다고 하니 그때 나한상도 같이 조성된 것으로 추정할 뿐이다.

이러한 추정과는 별개로 거조암의 오백나한 출현에 대한 재미있는 이야기가 구전으로 전승되고 있다.

> 옛날 거조사 영산전에는 도를 터득한 한 스님이 수행에 매진하고 있었다. 그러던 어느 날 하루는 스님이 탁발을 하기 위해 절을 나와 마을로 내려갔다. 그렇게 내려가던 중 스님은 잠시 쉬기 위해 앉을 곳을 찾았는데, 마침 마을이 내려다보이는 조밭이 있어 그곳에서 쉬기로 하였다. 휴식을 취하던 스님은 자신도 모르게 그만 조 이삭 3개를 부러뜨리고 말았다. 그저 평범한 사람이라면 별일 아니라는 듯이 넘어갈 수 있었겠지만, 중생을 인도하기 위해 승려가 된 스님에게는 그것도 큰 잘못이었다. 그것을 깨달은 스님은 그 조밭 주인인 농부의 집에서 참회의 마음으로 3년

동안 봉사 하기로 마음을 먹었다.

스님은 소로 변신하여 밭 주인인 농부의 집 앞으로 찾아갔다. 마을에서도 심성이 착하고 성실하기로 소문나있던 농부였기에 모르는 소가 들어오자 그는 소를 쫓아냈다. 하지만 소는 그 자리에서 꼼짝도 하지 않았다. 하는 수 없이 농부는 소를 외양간에 두고 주인을 찾아보았지만, 몇 달이 지나도 결국 주인을 찾을 수 없었다. 그래서 농부는 주인이 나타날 때까지 소를 기르고 있기로 하였는데, 어찌 된 일인지 소가 고삐도 매지 않았고 일도 시키지 않았는데 스스로 일을 하는 것이 아닌가.

이러한 소의 이야기는 순식간에 마을 안에 퍼졌고 그 소식이 먼 마을까지 전해졌다. 그때부터 이 소의 주인이라고 주장하는 사람들이 나타나기 시작하였다. 의심하지 않았던 농부는 흔쾌히 소를 내어 주었다. 그런데 놀랍게도 소는 그 자리에서 한발자국도 움직이지 않고, 오히려 자칭 주인이라고 하는 사람을 위협하기까지 하였다. 그 이후에도 계속해서 주인이라고 말하는 사람들이 찾아왔지만, 소는 그 누구도 따라가지 않았다. 이렇게 찾아온 사람이 500명이었다. 이후로 농부는 부처님이 내려준 선물이라고 생각하고 더 이상 찾아오는 사람들을 믿지 않게 되었다.

그렇게 세월이 흘러 어느덧 스님이 결심했던 3년이 지났고, 그날 아침 스님은 여전히 소을 형상을 하고 농부에게 말을 걸었다. 그리고 마을 사람들을 불러 잔치를 베풀어 달라고 하였다. 소가 말을 하자 농부는 신령스러운 존재인줄 알아차리고 소가 시키는 대로 이튿날 큰 잔칫상을 차려 놓고 마을 사람들을 불렀다. 마을 사람들이 다 모이자 소가 짙은 안개를 뿜더니 그 속에서 스님이 나타났다. 스님은 모여있는 사람들을 향해 자신이 소였을 때 자기 소라고 찾아온 사람들은 모두 앞으로 나오라고 했다. 거기 모인 사람들은 신령스러운 광경에 모두 겁을 먹었고, 소를 탐했던 사람들은 하나 둘 앞으로 나왔다. 그 수가 무려 500명이나 되었다.

스님은 그들을 보며, 3년 전 자신은 실수로 조 이삭 3개를 꺾고 그 죗값으로 소가 되어 이 집에서 3년간 일했다고 말하며, 소를 탐했던 사람들에게 소가 될 것인지 참회하여 성불할 것인지 선택하라고 했다. 이에 그들은 모두 스님을 따라 거조사로 들어가 열심히 수행하여 모두 나한이 되었다.

이 이야기의 본래 출처는 『마하승가율』의 오백나한 본연설本緣說이다. 부처님과 오백제자의 인연이 부처님의 본생 때부터 있었다는 이야기이다. 이야기의 전체 구조는 동일하고, 무대만 거조사 영산전의 스님 이야기로 바뀌어 있다. 이야기 속에 나오는 사람들이 참회하고 수행정진을 해서 나한이 되었다는 것이다.

오백나한이 가지고 있는 제각기 다른 얼굴은 이들이 수행을 통해 아라한이 되었지만, 그들이 가지고 있는 번뇌가 각각 달랐기에 부처가 되어서도 다른 표정을 짓고 있는 것은 아닐까? 여기에는 오백 가지 각각의 표정에서 읽히는 번뇌를 알아차려 깨치라는 의미가 녹아있을 테니, 찬찬히 오백나한의 얼굴과 포즈를 보며, 나의 마음도 들여다보는 시간을 가져보자.

영산전 문을 열고 한 발 들여놓는 순간, 천태만상의 삶의 표정을 만날 수 있다. 깔깔거리고, 삐죽거리고, 목젖이 보이도록 웃어 재끼기도 하고, 먼 산을 보고, 근심도 어려 있고, 두 눈을 부릅뜨기도 하고, 지그시 감기도 하고, 정좌하고, 슬그머니 돌아도 앉는 등 인간이 가질 수 있는 희노애락의 오백 가지 모습을 만날 수 있다. 표정과 몸짓이 모두 다른 영산전 오백나한, 정확히는 십대제자 십육성 오백나한이다.

오백나한은 그 경성으로 많은 이들의 발걸음을 맞이하고 있다. 영산전에 들어가서 한 분 한 분의 나한상 앞에 서 보면 파안대소에서 심연을 찌르는 슬픔까지 우리가 가진 온갖 마음과 표정을 마주할 수 있다.

거조사가 오백나한을 조성하여 모신 뜻은 나한상을 만나서 그 오백 가지 표정 중에 자신과 닮은 표정 하나를 찾고, 그것을 통해 나한의 마음도 찾아서 갈 것을 주문하는 것은 아닐까 하는 생각이 든다.

오백나한 세부사진 ⓒ거조사

오백나한, 이름을 달고 옷을 입다

오랜 세월 변함없이 각양각색인 중생의 표정을 하고 찾아오는 이들을 맞이해 주는 거조사 오백나한. 700여 년을 넘는 세월 동안 세상 만물은 흐르는 시간 속에 낡아지고 허물어지기 마련이다. 오백나한이 모셔진 거조사 역시 시간의 흐름을 거스를 수 없었다.

통일신라 때 창건한 이후 천년이 넘는 시간 동안 거조사와 오백나한은

오백나한 전경 ⓒ거조사

굳건히 자리를 지켰으나 영산회상도를 봉안1785한 이후, 무슨 연유에서인지 폐사 상태가 되었다. 절이 폐사되었으니 오백나한님들 역시 이곳저곳에 마구 뒹굴고 있는 상태가 되었다. 150년 이상 비바람을 맞으며 거조사 옛터를 마냥 지키고 있었던 오백나한. 그 긴 시간 동안 폐사지에서조차 공산을 지키며 이 땅에 많은 수행자와 깨닫는 이가 많길 기원하고 또 기원했을 나한님들이다. 이런 오백나한의 간절한 기원의 목소리를 들은 이가 있으니 바로 영파스님이다.

당시 영파스님은 화엄교학의 본산인 은해사에서 화엄학을 펼치기 위해 해남 대둔산현재의 대흥사의 강주 자리를 내려놓고 운부암에서 후학을 양성하고 계셨다. 스님은 그렇게 화엄강학으로 후학을 양성하는 동시에 팔공산의 여러 암자를 중창불사하는 일에도 힘을 쏟고 있었다. 그러던 중 마침 거조사의 절터에 와보게 되었는데, 관리가 되지 않아 허름해진 영산전과 그 내부에 오백나한이 훼손된 상태로 방치되어있는 것을 목격했다. 이를 안타깝게 생각한 스님은 거조사를 다시 부흥시키기 위해 1801년 대중들과 힘을 모아 중수불사를 시작하였다. 1804년에는 지연志演스님에게 부탁하여 오백나한을 보수하고 다시 색을 입혔다.

불사를 마친 영파스님은 각각의 개성을 가진 오백나한에 이름을 붙였다. 나한님들을 보수해 놓고 보니 오백 분의 모습은 마치 우리 중생들의 모습과 많이 닮아 있었다.

영파스님은 우리의 모습 역시 이렇게 제각기 다르다는 사실을 잘 알고 있었기에 각각의 개성을 가진 나한존자에 이름을 붙여 그 개성을 드러내고 중생을 깨달음의 길로 인도하시고자 한 원력이리라.

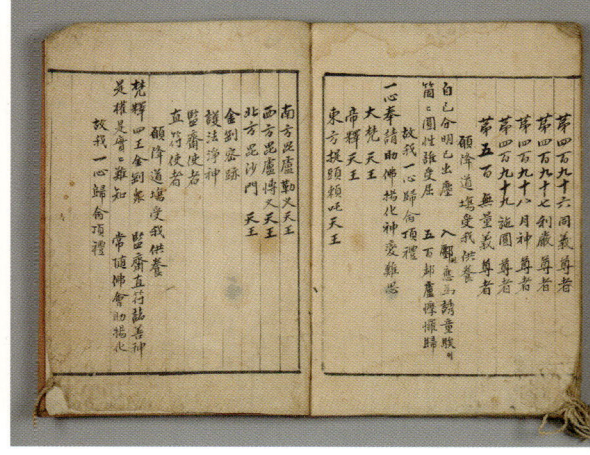

오백성중청문 ⓒ국립대구박물관·은해사성보박물관

영파스님에 의해 이름을 얻은 오백나한은 100여 년이 넘는 세월 동안 영산전을 지키고 있었으나 1950~60년대에 누군가에 의해 훼손되었다. 온몸을 페인트로 칠하여, 회분에 고유의 모습을 지닌 나한님들은 그 모습을 잃은 상태로 방치되었다. 오백나한을 참배하기 위해 거조사를 찾았던 불자들은 중생이 깨달은 오백 가지의 자연스러운 모습으로 사람들을 맞이하던 본래의 모습을 잃어버린 것에 대해 굉장히 안타까워했다.

시간이 흘러 2000년대에 들어와 거조사 주지로 부임한 돈명스님은 훼손되고 페인트로 칠해진 나한님의 모습에 죄송스런 마음이 들었다. 그리고 기나긴 세월 동안 나한님이 자리를 지킨 까닭이 이 땅에 많은 수행자와 깨달은 이가 끊임없이 나오길 바라는 마음이었음을 느끼고 그 옛날 영파스님의 뒤를 잇길 자처했다.

원력을 세운 돈명스님은 곧바로 오백나한의 본래 모습을 되찾기 위한 작업에 착수하였다. 우선 스님 스스로 공부에 전념해 오백나한을 원모습 그대로 복원시킬 여러 방도를 찾았다. 그리고 나한상에 덧칠해 놓은 페인트를 지우기 위해 페인트 제거 전문가를 찾아 전국을 돌아다녔다. 조성 당시 자연성 물감 색이 나타낼 수 있는 기술진을 구성하기 위해 관련 종사자들에게 문의하여 색을 입혀줄 전문가들도 물색하였다. 이러한 스님의 노력으로 몇 년간의 고생 끝에 드디어 오백나한 존자는 본래의 모습을 되찾게 되었다.

페인트의 숨 막히는 질감을 벗고, 자연색으로 돌아온 나한님들은 영파스님 당시의 그 모습 그 표정으로 영산전을 다시 환하게 장엄하였다. 영산전의 오백나한이 제 모습을 찾게 되자 돈명스님은 이곳 거조사의 중건불사도 진행하여 영산전 오른편이 영산루와 국사전을 건립하였다. 과거 진언스님과 영파스님이 조선불교를 중흥시키고자 했던 것처럼 돈명스님 역시 그 의지를 이어 지금의 한국불교를 다시 부흥시키고자 한 원력의 발로인 셈이다.

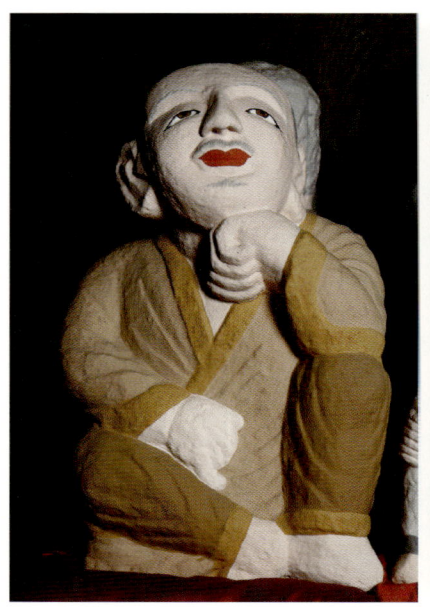 

오백나한 세부 사진 ⓒ거조사

돈명스님의 바람처럼 거조사 오백나한은 그 명성으로 많은 이들의 발걸음을 맞이하고 있다. 거조사 영산전에 들어 나한 존자님을 다 만나고 나오면 내 안에 숨어 있던 오만가지의 생각을 만날 수 있다. 나를 찾아가는 길을 나한님과 함께 하고 속세로 다시 돌아오면 편안한 마음과 일상생활에서 은연 중에 행하는 수행 덕분인지 거조사 오백나한님은 반드시 소원을 들어주신다는 이야기도 전하고 있다.

이처럼 거조사의 오백나한님은 미혹한 중생이라도 마음으로 부처님께 귀의하고 간절하게 염원하면 스스로 깨쳐 아라한의 도에 이를 수 있다는 것을 전해주고 있다.

백성의 고통을 끌어안은 거조사

정혜결사로 불교개혁을 이루다

　거조사는 본사인 은해사의 서북쪽에 자리 잡은 사찰로 산내 암자 중에서는 본사와 가장 멀리 떨어져 있다. 사찰의 창건 시기는 두 가지가 전해지는데, 738년신라 효성왕 2 원참元旵조사 창건설과 742~754년신라 경덕왕대 창건설이다. 이 두 가지 중 원참조사 창건설은 고려 후기 거조사에서 염불수행을 하고 『현행서방경現行西方經』을 저술한 원참스님과 동일 인물일 가능성이 높기에 그 신빙성은 낮다고 봐야 할 것이다. 그에 비해 신라 경덕왕대 창건설은 영산전에서 나온 묵서명과 「은해사사적비」에서 기록하고 있으니, 경덕왕대의 창건설로 보는 것이 타당해 보인다.

　거조사의 창건을 경덕왕대로 본다면 거조사는 1400년 가까운 세월 동안 그 자리에 있었음을 알 수 있으나, 그 세월에 비해 사찰에 대한 기록은 많지 않다. 고려 중·후기와 현대에 가까운 19세기 이후 나타난 기록을 제외하고는 거의 없다고 봐도 무방하다. 이러한 기록의 미흡함이 있지만 고려 중기 이후 나타나는 단편적인 기록을 통해서 우리는 거조사가 늘 백성의 고통을 끌어안고 다가가려 했음을 확인할 수 있다. 그리고 이 중심에는 보조지눌普照知訥스님이 있음을 떠올리지 않을 수 없다.

　지눌스님은 1158년에 태어나 1166년 종휘宗暉 선사를 은사로 출가한 분이다. 지눌스님은 25세인 되던 1182년명종 12에 승과僧科에 합격하였고, 개경 보제사普濟寺에서 봉행된 담선법회談禪法會에 참석하게 된다. 당시 고려는 최씨 무신정권으로 인해 사회가 혼란스러웠고 중앙에 있는 불교계는 문벌귀족과 결합하여 자정 능력을 잃은 상태였다. 당시의 이런 불교계의 개혁이 필요하다고 느낀 스님은 보제사 담선법회에서 만난 10여 명의 스님들과 불교계를 혁신하고자 하는 결사를 드모하였다. 하지만 바로 실현되지는 못해 그곳에서 결사를 약속하고 주도한 스님들은 훗날을 기약하며 뿔뿔이 흩어지게 됐다.

결사를 약속하고 6년이 지난 1188년, 팔공산에 있었던 득재得才스님은 지눌스님에게 지난날 보제사에서 기약했던 결사를 다시금 떠올리게 했다. 그리고 공산公山의 거조사에서 결사를 도모하자고 지눌스님에게 제안했다. 당시 하가산현재 예천군의 학가산 보문사普門寺에서 수행에 매진하고 있던 지눌스님은 이를 흔쾌히 받아들였그, 결사를 위해 거조사로 발걸음을 옮겼다.

몇 년이 흐른 탓도 있고, 각자 그간의 사정도 있어서인지 지난날 보제사 담선법회에서 함께 뜻을 모았던 스님들 중 절반도 되지 않는 인원만 모였다. 그렇지만 거조사에 모인 스님들은 '불교계 개혁'을 실현하고자 굳은 의지를 불태웠다. 이렇게 당시의 불교를 바로 세우기 위한 역사적인 정혜결사가 거조사에서 시작되었다. 이 결사로 거조사는 선사상을 펼치는 근본 도량으로 위엄을 갖추게 된다. 그리고 이후 지눌스님의 원력은 지눌스님의 제자였던 혜심慧諶스님 대에 이르러 더욱 빛을 발했다.

혜심스님은 당시 불교계에서 유행하던 선사상을 바탕으로 정토신앙을 수용하고 이타행의 실천을 표방함으로써 더욱 치밀하고 체계적으로 발전시켰다. 그리고 결사의 문을 중앙 귀족불교를 제외한 향리층과 일반 백성들에게 활짝 열었다. 기성의 왕실·귀족 중심의 불교 세력에 실망감이 컸던 하층민들은 새로운 선사상과 내세에는 정토에 태어날 수 있다는 정토신앙에 자연스레 감화되었고, 정혜결사를 적극적으로 지지했으니, 정혜결사라는 '사상'의 옷을 입은 거조사는 대중의 호응을 얻었음을 알 수 있다.

기도 도량으로 백성의 고통을 달래다

그렇다면 선사상을 펼치던 정혜의 결사 도량이었던 거조사는 어떠한 연유로 기도 도량으로 거듭 변화해 왔을까. 그것은 당시 사람들의 삶을 위무하고 살펴주는 사찰, 즉 백성의 고통을 함께 나누고자 하는 장소가 되었기 때문이다.

고려는 13세기 초·중반 6차례에 걸쳐 몽골의 침략을 받았다. 그로 인하여 최씨 무신정권이 무너지고 몽골이후 원나라의 제후국으로 들어가게 된다. 최씨 무신정권이 들어서기 전부터 이미 많은 고통을 겪고 있던 백성들은 고려가 원나라의 제후국이 되면서 더욱 힘들어지게 된다. 이러한 민중의 아픔을 알았던 원참스님은 대중의 고통을 덜어주고자 거조사로 들어가 염불수행에 매진하였다. 스님은 100년 전 지눌스님이 고통받던 대중들에게 다가가기 위해 불교 본연의 정신을 강조한 정혜결사가 거조사에서 결행됐다는 사실을 잘 알고 있었다. 그렇기에 이곳에 들어가 염불수행에 매진한다면 그 방법을 찾을 수 있으리라 믿었다.

그 간절한 마음이 통하였는지 수행을 하던 어느 날 밤 갑자기 낙서樂西라는 도인이 원참스님 앞에 나타났다. 그러고는 스님에게 아미타 부처님의 본심미묘진언本心微妙眞言과 극락왕생의 참법懺法을 전수해 주고 사라졌다. 스님은 민중의 고통을 덜어 주기 위해 전수 받은 진언과 참법을 널리 전하였다. 현실에서 고통받는 삶에 내몰린 백성들은 내세의 안락을 희망하며, 아미타부처님의 세계로 왕생하고자 하는 열망이 간절했을 것이다. 그리고 그 간절한 믿음의 가지고 하는 기도는 현실의 고통을 이길 수 있었기에 거조사는 고려 중기 아미타 신앙의 기도 도량으로 거듭나게 되었다.

그렇게 결사와 기도 도량의 길을 지나온 거조사는 다시 한번 그 색을 바꾸게 된다. 14세기 말 고려는 원·명의 교체라는 국제사회의 변화와 내부의 어지러운 정치 상황으로 인해 극심한 사회 혼란을 겪게 된다. 문벌 귀족과 중앙 귀족불교의 타락, 최씨 무신정권의 집권, 몽골의 침입 등으로 삶이 피폐해질 만큼 피폐해진 백성들의 고통은 이루 말할 수 없을 정도였다. 이에 거조사는 백성들의 고통을 덜어주고자 다시 한번 그 모습을 바꾸게 되는데, 바로 영산전을 건립하고 오백나한을 모신 것이었다.

나한은 깨달음을 얻어 고통으로부터 벗어난 '아라한[覺者, 깨달음을 얻은자]'의 다른 이름이다. 그리고 거조사 영산전에 모셔진 오백나한은 한 분 한 분이 민중의 모습을 담고 있다. 즉, 민중의 아픔을 포용하고, 이들이 깨달음을 얻어 고통으로부터 벗어나길 기원하는 마음을 오백나한에 담아낸 것이다. 이러한 오백나한은 전설을 가지게 되는데, 그 전설이란 오백나한께 3일간 정성스럽게 기도를 올리면 소원이 이루어진다고 하는 것이다.

이 전설은 당시 사람들이 거조사 오백나한에게 기도하여 소원을 이루고 평안을 얻었다는 것을 전하는 메시지인 것이다. 이렇게 거조사는 시대에 부응하여 항상 민중의 고통을 함께 하고자 했던 결집처였다.

외세의 침략과 피폐했던 삶을 살았던 고려시대를 거치며 백성들의 삶을 위무하였고, 폐사와 방치의 시절을 겪으며, 영파스님에 의해 중건불사 될 때까지 나한도량으로서 그 자리를 굳건히 지켜왔던 거조사. 거조사는 21세기인 현재에도 많은 사람들이 찾는 오백나한 도량이며, 오늘도 그곳을 찾는 사람들의 소원을 들어주는 기도 도량으로 그 자리를 지켜오고 있다.

3. 사바세계에 머물러도 마음은 극락, 기기암

기기암

기기암은 조용하고 정갈하게 가꾸어진 참선도량이다. 816년헌덕왕 8에 창건되었으며 당시의 이름은 기기암寄奇庵이 아닌 안흥사安興寺였다. 이는 정수대사正秀大士가 나라와 임금의 평안을 기원하는 의미에서 '안흥安興'이라 사명을 붙인 것이다.

816년헌덕왕 8 당시에 신라에는 지독한 흉년이 들었고 백성들은 굶주림을 참지 못해 고국인 신라를 떠나 당나라의 절동 지방지금의 절강성으로 먹거리를 찾아 이주할 정도였다. 굶주림으로 민심은 어지러웠고 국정이 쉽지 않았던 당시 정수대사가 동요하는

기성쾌선 진영
ⓒ국립대구박물관·은해사성보박물관

기기암 주변 풍경 ⓒ기기암 선남스님

민심을 달래고, 부처님의 가피에 기대어 어려웠던 시국을 극복하고자 했던 뜻이 '안흥安興'이라는 글에 담겨져 있는 것이다.

안흥사에서 기기암寄奇庵으로 사찰 이름을 바꾼 것은 1546년명종 원년 기성대사箕城大士가 '몸은 사바세계에 있으나 마음은 극락세계에 있다.[身寄娑婆 心寄極樂]'라는 글에서 따온 것이라 한다. 하지만 기성대사로 추정되는 기성쾌선箕城快善, 1693~1764은 18세기에 활동했던 스님이기 때문에 사찰 이름은 아마 기성쾌선스님이 활동하던 당시에 바뀐 것이 아닌가 생각된다.

기성스님은 1741년영조 17 기기암을 대대적으로 중건하였는데, 이때 기기암에 수행하고 있는 스님이 60여 명이 될 정도로 융성하였다. 기성스님은 염불 수행을 강조하셨으니, 당시 기기암에는 많은 스님들과 대중들의 염불 소리가 끊이지 않았을 것이다.

기기암은 기성스님의 중건 이후 1773년영조 49 명암당鳴巖堂 재징再澄이 지금의 자리로 옮겨 중건하였고, 1828년순조 28과 1858년철종 9에도 각각 중수가 이루어졌다. 그러나 6.25전쟁 당시 기기암 또한 전란을 피하지 못하고 폐사에 이르렀다가 1970년대에 중창, 1980년부터 휴암休庵, 1941~1997스님이 이곳에 주석하면서 지금의 모습을 갖추게 되었다.

'몸은 사바세계에 있으나, 마음은 극락세계에 있다!'身寄娑婆 心寄極樂

기기암의 이름은 이 한 구절에서 취한 것이다. 하지만 전각이 특별한 것도 아니고, 모시고 있는 불보살님이 특별하지도 않다. 조그만 암자들이 으레 그러한 것처럼 한 분의 보살상을 봉안하고 있는 평범한 암자처럼 보인다. 재징스님이 이전하기 전의 본래 터의 흔적이 현재 자리 위쪽에 희미하게 남아있기는 하지만 지금으로서는 확정하기 힘들다.

기기암 법당에는 보살님 한 분이 모셔져 있다. 조선 후기 양식인 듯 보이는 보살상으로 그 재료는 경주불석이다. 거조사의 오백나한상을 비롯 은해사 인근 몇몇 사찰에는 경주불석으로 조성한 불보살상들이 몇 분 모셔져 있다. 경주불석은 경주에서 생산되는 무른 재질의 제오라이트석을 말한다.

이 경주 특산의 독특한 소재를 사용한 불보살상은 빠르게는 17세기 전반부터, 그리고 18세기에도 꽤 많이 조성된 것으로 알려져 있다. 절 안에서는 이 보살님을 관음보살 혹은 대세지보살로 보는데, 은해사를 비롯 산내의 주요 사암寺庵들이 극락세계를 구현하고 있는 것과도 관련한 추정으로 보인다. 하지만 대세지보살을 독존으로 모시는 경우는 흔하지 않다.

재료와 보살상의 양식으로 볼 때 이 보살님은 아마도 18세기 기성쾌선스님이 활동하던 시대에 조성된 듯 보인다. 혹은 이 보살님을 조성하여 모신 분이 기성쾌선스님일 가능성도 많아 보인다.

그래서 스님의 "몸은 사바세계에 있으나, 마음은 극락에 있다."는 한 구절 글귀가 다시금 보인다. 공산의 중턱 높이 자리해 있는 기기암 주변의 풍광이 유독 돋보이기 때문이다. 속세의 번뇌 망상을 뒤로 하고 산중에 들어서, 공산 중턱 높이 올랐더니 거기에 펼쳐진 별세계가 극락과 다름없다는 이야기일 것이다. 한 시대를 풍미했던 당대의 선지식이었으니, 이 자리 곧 기기암에 이르러 머무르고 수행하는 이들은 반드시 유심정토를 체득하라는 채찍질이기도 했으리라.

그러니 기기암은 달리 말하면 끊임없는 욕망과 번뇌로 사바세계에 얽매인 이 몸의 업장을 훌훌 털어내고 깨달음의 경계에 도달하여 지극한 즐거움을 맛보려는 자에게만 열린 세계이다. 또 수행자들이 번뇌와 적멸의 사이에 부닥쳐서, 적멸의 깨달음 세계 곧 극락으로 건너는 경계를 선연히 드러낸 도량인 것이다.

기기암에 오를 때마다 생각해볼 일이다. 이 몸은 비록 사바세계의 욕망에 일그러져 있어도, 이 마음은 그 욕망을 벗어던진 극락세계를 향한 일로정진에서 한 치도 벗어나선 안 된다는 기성쾌선스님의 가르침을. 그래서 '기기寄寄'이다. 그 이름에 생사 경계를 벗어던진 대선사 기성쾌선의 당부가 산안개처럼 여전히 흘러내린다.

기기암 전경

원통전 내 관세음보살

4. 영험한 수행도량이자 산신山神터, 묘봉암

신라 834년 흥덕왕 9 심지왕사가 창건했다고 전해지는 묘봉암은 은해사의 산내 암자 가운데 가장 높은 곳에 위치한다. 창건 100여 년 후 고려가 건국되고 묘봉암에 대한 기록은 없지만 아마도 관세음보살을 모시고 관음기도처의 역할을 다하고 있었던 듯 싶다. 관세음보살이 주불로 모셔지는 원통전이 중심이며 이 원통전의 현재 모습은 사진과 같다.

원통전 외부 전경

　거대한 바위가 원통전을 관통하고 있는데, 이 관통한 바위 아래 관세음보살상을 봉안하고 있는 형태이다. 전각의 성격이 바뀌는 경우가 없지는 않으나 이처럼 자연 그 자체를 품고 있는 전각의 성격이 쉽게 바뀔리 없다. 그러하기에 사료가 남아있지 않아 정확히 알 수는 없으나 이미 암자의 개창부터 관음기도처로 시작했음을 짐작해 볼 수 있다. 바위굴에 모신 관세음보살을 향해 수많은 민초들은 얼마나 많은 원을 빌고 또 빌었을까.

　조선시대 묘봉암 중창 관련 기록에 의하면 첫 번째 중창은 1485년성종 16에 죽청竹淸과 의찬義贊스님이 중창하였고, 두 번째는 1543년중종 38에 보주寶珠, 삼인三印, 지등志燈스님이 다시 중창하였다. 그리고 세 번째 1780년정조 4에는 혜옥惠玉, 서징徐澄 두 스님이 다시 중창하였다.

　중창에 대한 사유와 사정에 대해서는 자세히 밝히고 있지는 않으나, 인근 사찰은해사 산내 암자의 사정과 같이 잦은 산불 그리고 왜란에 의해 소실

묘봉암 전경

되었다가 중창된 것으로 보인다. 6.25전쟁 당시도 팔공산이 치열한 격전지가 되면서 산내의 대부분 사찰 및 임자들이 피해를 보았는데, 이때 묘봉암 또한 폐사에 이르렀다가 법운法雲스님의 불사로 지금의 모습을 갖추게 되었다.

조선시대 묘봉암은 이전의 관음기도처 성격에서 선수행 중심의 암자로 바뀐다. 선수행 도량인 묘봉암은 그 위치 만큼이나 아련함과 뚜렷함이 공존한다. 1858년에 기록된 「영천군은해사사적永川郡銀海寺事蹟」에는 묘봉암을 '묘봉선실妙峰禪室'이라 기록하고 있으니 당시 묘봉암의 성격은 스님의 수행 도량이었음을 알 수 있다.

妙峯海上	은해사 위 묘봉암
孤岑石潭	높은 봉우리에 선 석담은
禪門之彪	선문의 호랑이 무늬이다.
窈窕春晝	한적한 봄날
閒靜雲關	고요한 구름 빗장을 거니
嬋然一幅	한 폭의 우아한 그림은
大師容顔	바로 대사의 얼굴이다.
畫裡瞻想	그림 속에서 우러러보는 건
七分之間	아련함이다.

『가산고伽山藁』

묘봉암이 위치한 봉우리와 물웅덩이가 마치 범 가죽의 무늬처럼 보이는 것을 그려낸 이 시는 한적한 봄날 선 수행 중 우두커니 앉아 하늘을 보다 느낀 것을 그려내고 있다. 하늘의 구름이 살포시 내려 앉으니 대사의 얼굴로도 보였다가, 바람이 살랑거리며 구름이 움직이면 또 다른 그림이 나타난다. 분명하게 드러나는 것은 없지만 자연이 주는 '생각거리'만으로도 하루가 가는 산사의 정취가 느껴진다.

제6장_은해사가 품고 있는 암자 이야기　**229**

5. 바위틈 사이를 지나 중암암 이야기 속으로

중암암 전경

원효스님과 김유신의 수행 · 수련처 극락굴

중암암中巖庵은 이름 그대로 큰 바위틈에 자리하고 있는 암자다. 큰 바위와 바위 사이를 지나야만 중암암으로 갈 수 있어 '돌구멍절'이라는 별칭이 있기도 하다. 중암암의 창건 이야기는 근처에 있는 극락굴또는 화엄굴에서 시작된다.

한 날 원효스님이 화엄경을 집필하고 있으셨는데, 풀리지 않는 대목이 있어 이 굴에서 화엄경 약찬게를 독송하다 문득 삼매에 빠지게 되었다. 그때 빛이 사방으로 솟구치더니 천지를 흔드는 소리가 나며 바위가 갈라졌다. 그 소리에 스님은 깨달은 바가 있어 화엄론을 완성하였다.

중암암 극락굴

이러한 영험한 전설이 전해져서인지 극락굴을 세 번 지나가면 모든 소원이 이루어진다는 흥미로운 이야기가 전해지기도 한다. 중암암은 신라시대 원효대사가 토굴을 짓고 정진하였던 곳이라 하는데, 훗날 이곳에 심지왕사^{心地王師}가 암자를 창건하였으니 그 이름을 중암암이라 하였다. ^{834년, 흥덕왕 9}

그리고 이 극락굴에는 또 다른 전설이 전해져 내려오는데, 그것은 김유신 장군이 삼국통일을 이루기 전 이곳에서 수련하였다는 전설이다.

> 15세에 화랑이 된 김유신은 17세에 외적을 평정하려는 큰 뜻을 가슴에 품고 수련할 곳을 찾아다니다 팔공산으로 들어갔다. 팔공산 내에 수련할 적당한 곳을 찾고 있었던 김유신은 중앙소굴^{현 중암암 극락굴로 추정}이 수련처로 적당하다 생각하여 이곳에 머물기로 하였다. 김유신은 중앙소굴에 머물며 본격적인 수련을 하기에 앞서 재계^{齋戒}하고 하늘에 고하여 맹세하기를 나흘간 하였다.

이때 갑자기 갈옷을 입은 노인이 나타나 "독충과 맹수가 많은 이 무서운 곳에서 귀한 소년이 혼자 무슨 일로 왔는가?"하고 물었다. 이 노인의 이름은 난승難勝으로 일정한 주거가 없고 인연 닿는 대로 가고 머무는 선인仙人이었다. 김유신은 노인이 범상치 않은 사람임을 알아차리고는 절을 올린 뒤 "저는 신라인입니다. 나라를 힘들게 하는 원수들을 보니 마음이 편치 않아 이곳에 와 수련하며 누군가를 만나기를 바라고 있었습니다."하고, 자신의 사정을 살펴 부디 방술을 가르쳐주기를 간곡히 청하고 또 청하였다. 처음에 아무 말 하지 않고 잠자코 있었던 노인은 김유신의 간곡한 청에 감응하여 말하기를 "어린 나이로 삼국을 병합하려는 뜻을 품고 있으니 참으로 기특하다. 허나 내가 가르쳐 줄 방술을 절대 함부로 남에게 전하지 말 것이며, 만약 비법을 의롭지 않은 일에 함부로 사용할 경우 도리어 재앙을 받게 될 것이다."라 말하고는 동굴로 발길을 옮겨 방술을 전수하였다.

『삼국사기三國史記』 권 제41 『열전列傳』편 김유신金庾信 조

통일의 대업을 이룰 김유신에게 방술을 전수한 이가 공산의 선인이었으니 김유신에 의한 통일의 필연성을 이미 공산이 알고 있었던 듯하다.

부처님의 영험함이 나툰 건들바위와 삼인암

중암암 위에는 큰 바위가 하나 있는데 이 바위는 일명 '건들바위'라 불린다. 건들바위가 그곳에 자리 잡고 있는 까닭은 부처님의 가피의 결과이다.

중암암 건들바위

옛날 중암암에서 한 스님이 홀로 정진하고 있었다. 산 새소리마저 적막한 저녁, 스님은 고요한 산중에 요란하게 노동하는 소리가 나는 것을 들었다. 이 산중에 무슨 소리인가 하여 나가 보니 사람은 커녕 산짐승조차 보이지 않았다. 그런데도 소리는 계속해서 들려왔다. 이상하게 여긴 스님은 소리의 원인을 찾고자 소리가 나는 쪽으로 걸어가 보았다. 한참을 걸어가다 보니 암자 위에 있는 큰 바위에서 소리가 나는 것이 아닌가. 깜짝 놀란 스님이 바위를 자세히 보니 바위가 곧 암자를 덮칠 듯 움직이고 있었다. 스님은 부처님께 암자가 무사하길 기도드렸다. 그러자 신기하게도 암자를 덮칠 듯 움직이던 바위는 위쪽 암석으로 옮겨져 더 이상 움직이지 않았다 한다.

또 중암암 법당 뒤 봉우리에 3개의 바위가 자리하고 있는데, 이를 '삼인암三印岩'이라 하고 바위 위에도 '三印岩'이 새겨져 있다. 삼인암을 새긴 인물이나 시기에 대해서는 알 수 없지만, 삼인은 불교의 세 가지 근본 가르침인 삼법인[三法印: 제행무상諸行無常·제법무아諸法無我·열반적정涅槃寂靜]에서 온 것으로 보인다. 이 삼인암의 또 다른 이름은 삼인암三人岩이라 하는데, 이 별칭은 한 전설에 의한 것이다.

옛날 한 여인이 자식이 귀한 집에 시집을 가게 되었다. 하지만 아이가 잘 생기지 않아 효험이 있다는 약을 먹어보기도 하고 영험하다는 곳에서 정성을 올리기도 하였으나 뜻은 이루어지지 않았다. 하루는 스님이 여인의 사정을 듣고 현재 삼인암의 장소를 알려주며 그곳에서 정성을 드리면 필히 길吉할 것이라 하여 여인은 정성을 드린 끝에 삼형제를 낳았다고 한다.

중암암 삼인암

중암암의 자랑거리 해우소

중암암에서 또 특이한 것은 해우소 밑이 뻥 뚫려 있다는 것인데, 여기에 또 재밌는 일화가 전해진다.

과거 세 분의 도반 스님들이 중암암에서 조우한 적이 있다.
스님들은 각각 통도사, 해인사, 중암암돌구멍절에서 수행하시던 분들이었다. 얘기 중에 스님들은 각자의 절을 자랑하게 되었다.
먼저 통도사 스님이 "우리 절은 법당 문이 어찌나 큰지 한 번 열고 닫으면 그 문지도리에서 쇳가루가 1말 3되나 떨어진다."라며 통도사 사찰 규모에 대해 자랑을 늘어 놓았다.
이어 해인사 스님이 "우리 해인사는 스님이 얼마나 많은지 가마솥이 하도 커서 동짓날 팥죽을 쑬 때는 배를 띄워야 저을 수 있다."라고 말하며 해인사에 얼마나 많은 스님들이 수행하고 있으신지에 대해 자랑하였다.
이를 가만히 듣고 있었던 중암암 스님은 통도사에 비해 규모도 작고, 해인사에 비해 스님들도 없으니 딱히 자랑할 것이 없었다.
이에 스님이 말씀하시길 "우리 절 뒷간은 그 깊이가 어찌나 깊은지 정월 초하룻날 볼일을 보면 섣달 그믐날이 돼야 떨어지는 소리가 들린다."라고 자랑하니 한바탕 크게 웃었다..

큰 바위틈에 자리한 탓에 규모가 크지 않으나 영험함과 전해오는 전설은 그 어떤 대찰에도 뒤지지 않는다. 그런 중암암이기에 해우소에도 얽힌 이야기가 전해오는 것이리라.

6. 상서로운 구름이 흐르는 서운암

서운암[瑞雲庵]은 은해사 바로 옆에 자리한 암자이다. 서운암에 대한 문헌은 남아 있지 않으나 구전으로 신라 성덕왕 재위 당시702~737에 창건되었다는 설만 전한다. 그리고 창건 당시 상서로운[瑞] 구름[雲]이 흘러감에 암자 이름을 서운암이라 하였다고 한다.

서운암 전각최근 조성

서운암 산령각   서운암 산신탱화 ⓒ국립대구박물관·은해사성보박물관

   서운암에는 산령각山靈閣이 있는데, 이곳에는 고즈넉한 산신탱화가 산신상 뒤를 책임지고 있어 신령스러운 분위기를 더한다. 이 탱화의 한켠에는 '가경이십이년정축십일년일嘉慶二十二年丁丑十一年日'이라 기록되어 있으니 1817년순조 17에 그려졌음을 알 수 있다. 전설만큼은 아니더라도 서운암은 오랫동안 은해사와 더불어 민족의 영산인 팔공산 동쪽 기슭에서 산신을 모시며, 민중들에게 불법佛法을 전해온 사찰이었던 것은 분명해 보인다.

   6.25전쟁 당시 서운암은 큰 피해를 입어 폐사에 이르렀지만, 1980년대 한 스님의 불사로 일부 중창되었고, 최근까지 지속적으로 불사가 이루어져 지금의 모습을 갖추게 되었다.

제 7 장

은해사 고승전

信爲道元功德母　長養一切諸善法
斷除疑網出愛流　開示涅槃無上道
信無垢濁心淸淨　滅除憍慢恭敬本
亦爲法藏第一財　爲淸淨手受衆行

믿음은 도의 으뜸이며 공덕의 어머니이니
일체의 모든 선법을 길러내네
의심의 그물을 끊어 없애고 애류에서 나와
열반의 무상도를 열어 보이도다
순박한 믿음은 탁한 마음을 청정케 하고
교만을 없애고 공경의 근본이 되며
또 온갖 법을 갈무리하는 가장 큰 보배이니
청정한 손이 되어 중생들 선행을 도와주네

은해사 만상원萬象院 | 글_ 화엄경

1. 경산삼성慶山三聖과 은해사

경산은 예로부터 경산삼성慶山三聖이라 불리는 화쟁국사 원효和諍國師 元曉스님, 홍유후 설총弘儒侯 薛聰, 보각국사 일연普覺國師 一然스님이 태어나 머문 곳으로 알려져 있다. 세 분의 일생은 수행과 백성에 대한 보살심으로 점철되어 있으니 가히 성현으로 불림에 부족함이 없었다. 특히, 이 세 분은 경산을 중심으로 하는 은해사의 말사들과 인연이 꾸준히 이어지고, 백성의 아픔을 끌어안고자 했던 활동했던 까닭에 은해사의 정신적 지주로 머물러 있다 해도 과언은 아니다.

해동의 부처, 원효스님

원효스님元曉, 617~686은 신라가 삼국을 통일하던 시기에 태어났다. 스님의 속성은 설薛 씨로 아명은 서당誓幢이고 법명은 원효元曉이며 압량군押梁郡의 남쪽 장산군章山郡 불지촌佛地村 북쪽의 율곡栗谷, 지금의 경산시 자인면 북사리 일대 사라수娑羅樹 아래에서 태어났다.

원효스님 ⓒ삼성현역사박물관

제7장_은해사 고승전 **241**

원효스님의 어머니는 품속으로 유성流星이 날아 들어오는 꿈을 꾸고 임신하였다고 하며, 해산할 무렵에는 오색구름이 땅을 덮는 기이함이 있었다고 한다. 원효스님의 탄생 이야기는 석가모니 부처님의 탄생 설화와 흡사하다. 스님의 집은 본래 골짜기의 남쪽에 있었는데, 어머니가 만삭이 되어 이 골짜기 밤나무 밑을 지나다가 갑자기 산기를 느껴 밤나무 가지를 잡고 해산하게 되었다. 미처 집으로 돌아가지 못하고, 우선 남편의 옷을 나무에 걸고 그 안에 누워 있었으니 그 나무를 사라수라고 하였고 그 밤나무의 열매도 보통의 것과는 달라 지금도 사라밤娑羅栗이라고 전해진다고 한다. 석가모니 부처님이 사라쌍수娑羅雙樹 아래에서 열반하였음을 생각해보면 사라수의 이야기를 통해 신라인들이 원효스님을 얼마나 극진하게 생각하였는지를 알 수 있다.

이후 원효대사가 태어난 곳의 사라수 나무가 있던 자리는 사라사娑羅寺란 절이 되었으며, 본래의 집은 출가를 하며 희사하여 초개사初開寺란 절이 되었다고 한다. 이후 사라사는 어느 시점인지는 알 수 없으나 폐사되었으며 그 주변을 밭갈이하던 농부가 폐사지廢寺址에서 불상과 탑신을 발견하여 사찰을 복원하였다는 전설이 이어져 오고 있다. 이후 유찬惟贊에 의해 제석사帝釋寺라는 이름으로 중건되었고 근래에 들어 원효성사전元曉聖師殿을 지어 원효스님의 일대기를 도상화한 '원효팔상탱화元曉八相幀畵'를 봉안하고 지금에 이르고 있다.

원효스님은 15세에 출가하였으며 일정한 스승을 두지 않고 수학하였고, 의상義湘스님과 함께 당나라로 들어가려 하였으나 도중에 해골에 고인 물을 마시고 모든 것이 마음의 작용에 달려 있다는 깨달음을 얻었다.

의상스님과 헤어져서 신라로 돌아온 원효스님은 654년무열왕 원년 해발 1,050m 청운대 정상 부근에 오도암悟道庵을 창건하고 서당굴誓幢窟, 지금의 원효굴에서 6년간의 수행을 이어나갔다. 수행을 마친 원효스님은 661년태종무

제석사 원효성사전의 원효팔상탱과 원효스님상

열왕 8 압량주押梁州, 지금의 경산으로 돌아와 반룡사를 창건한다. 압량주는 신라의 전략적 요충지이자 병력의 이동 통로였다. 때문에 삼국이 통일되는 과정에서 백제와의 전쟁 이후 전장에서 돌아온 병사들과 부상병, 그리고 전쟁에서 전사한 전사자의 유가족들이 유난히 많았던 지역이다. 반룡사로 돌아온 스님은 삶에 지쳐 힘들어하는 이들을 보듬고 그가 할 수 있는 일들을 하며 보살행을 실천하였다.

옛 반룡사에는 25동 이상의 전각이 있었던 것으로 『경상도읍지慶尙道邑誌』「자인현慈仁縣」편에 기록되고 있으며 이곳은 설총이 어릴적 자랐던 곳으로도 알려져 있다.

이두를 집대성한 유학자 설총

설총은 자는 총지聰智이고, 호는 빙월당氷月堂으로 경북 경산시에 있는 삼성산 아래에서 태어났다. 당대에 신라말로 유학의 9경을 풀이하여 후학들을 가르치니 유학의 종주로 불리었으며 강수强首, 최치원崔致遠과 함께 신라의 3대 문장가 중 한 명으로 알려져 있다. 설총이 죽은 뒤에도 오랫동안 그를 계속 숭상하여 고려 현종이 1201년현종 13 홍유후弘儒侯라는 시호를 내렸다는 내용이 『삼국사기三國史記』권 제46 「열전列傳」에 전해지고 있다. 설총의 부친은 원효元曉스님이며, 모친은 태종무열왕의 딸 요석공주瑤石公主로 그의 출생에 대한 기록은 『삼국유사三國遺事』권 제4 「의해義解」편 원효불기元曉不羈 조에 몰가부沒柯斧 설화로 기록되어 있기도 하다.

『홍유후실기목록弘儒侯實紀目錄』에 따르면 원효의 아이를 가진 요석공주는 시댁 동네를 물어물어 찾아와 유곡油谷에서 아이를 낳고, 유천柳川에서 자랐다고 전해진다. 두 지명은 삼성산 근처이며 지금도 쓰이고 있는 남산면의 마을 이름이다.

설총의 탄생이야기

설총의 어린시절의 삶에 대해서는 알려진 바가 거의 없으며 반룡사에서 유년시절을 보냈다는 이야기만 전해지고 있을 뿐이다. 이후 설총은 학자로서 경주에 머물며 후학을 양성하였다. 이때 설총은 백성들이 한자로 생활을 표현하는 것이 우리의 생활과 맞지 않아 힘들어 하는 것을 보고 이두吏讀, 한자의 음과 뜻을 빌려 우리말을 적은 표기법에 관심을 보이기 시작했다. 각고의 노력과 연구에 매진하며 이두를 집대성하니, 언어를 통한 백성의 고통을 덜어준 것은 훈민정음을 편찬한 세종대왕과 크게 다르지 않다.

한편, 설총을 아끼던 신문왕神文王이 그에게 알고 있는 신비한 이야기를

설총 ⓒ삼성현역사박물관

해달라고 청하니 「화왕계花王戒」를 지어 왕을 계도하였다고 한다. 이 글을 본 왕이 임금된 자의 교훈으로 삼았다 하니 이 행적과 「화왕계花王戒」의 내용은 『삼국사기三國史記』를 통해 전해지고 있다.

아버지인 원효스님이 입적한 이후 설총은 스님의 유해를 부수어 진용眞容을 빚어 분황사에 봉안하니 아버지에 대한 그리움이 사무쳐 가슴이 무너지는 듯하였다. 설총이 자주 찾아 스님께 공경과 그리움을 담아 예배를 올리자 원효스님의 진용이 갑자기 그를 향해 고개를 돌렸는데 고려에 이르기까지 그 모습 그대로 남아 있었다고 전해진다. 마치 먼 길 떠나기 전 아들의 모습을 한 번 더 눈에 담고자 한 듯 원효스님의 부정父情이 느껴진다. 아버지의 정만큼 아들 설총 역시 일찍이 아버지가 머물던 혈사穴寺 부근으로 돌아와 아버지를 그리워하며 집을 짓고 머물렀다. 대중을 향한 마음 씀씀이가 남달랐던 원효스님과 설총은 부자지간의 정도 남달랐음을 느낄 수 있는 이야기이다.

효심으로 왕을 설득한 일연一然스님

　　　　일연스님의 법명은 견명見明이고 자는 회연晦然이었으나, 뒷날 일연으로 바꾸었고 후에 보각普覺이라는 시호를 받았다.

　장산군章山郡에서 태어났는데, 일연스님의 어머니는 태양 빛이 방안에 들어와 복부를 비추는 꿈을 사흘간 꾸고 임신했다고 전해진다. 어릴 적부터 세속에서 벗어나고자 하는 뜻을 두어 9세가 되던 해에 전라도 해양海陽, 지금의 광주의 무등산에 있는 무량사無量寺로 출가한다.

　경상도와 전라도의 거리는 지금도 상당히 먼 거리인데 스님의 어머니는 왜 그 먼 곳으로 아들을 출가시켰을까. 어린 자식이 수행에 지쳐 돌아오지는 않을까, 돌아온다면 눈에 넣어도 아프지 않을 아들을 덥석 받아들일까 두려운 마음 때문이지 않았을까? 어쨌든 어린 자식을 출가의 길로 보낸 어머니의 마음도 편치 않아 스스로도 불가佛家의 주변에 머무르며 자식을 위해 기도하는 삶을 살지 않았을까 생각된다.

　일연스님은 평소에 목주 진존숙睦州 陳尊宿의 이야기를 무척이나 좋아하여 스스로 목암牧庵으로 불리기를 원했다고 전해진다. 목주는 진존숙의 출생지인 절강성 건덕현浙江省 建德縣의 옛 지명으로, 진존숙은 개원사 주지로 머물며 밤마다 왕골 짚신을 만들어 팔아 늙은 어머니를 봉양했다고 한다. 어머님이 돌아가신 후에도 왕골 짚신을 만들어 새벽녘에 큰길 나뭇가지에 걸어두고 이름 모를 길손의 발걸음을 도우며 어머니를 기렸다고 전한다.

　이러한 진존숙의 이야기를 자주 언급했던 일연스님. 아마도 어릴 적 품을 떠난 어머니에 대한 그리움과 효심이 지극해서였을 것이다. 이렇듯 어머니에 대한 효심이 극진했던 스님은 말년에 연로한 어머니를 걱정하는 마음도 컸다. 왕은 국존의 위치에 있으며 정신적 지주였던 스님을 곁에 두고 싶은 마음이 간절하였으나 스님의 이러한 남모를 고뇌, 어머니를 향한 지극한 효심에 탄복하여 어머님과 함께 할 수 있도록 하였다. 왕사로의 짐을 내려놓은 일연스님은 고향으로 향하였고 왕은 인각사麟角寺를 하안소下安所로 정하며 스님이 말년에 편하게 지낼 수 있도록 인각사 수리를 명하였다.

인각사로 돌아온 이듬해, 일연스님은 어머님이 돌아가시자 고향인 장산에 묘를 쓰지 않고 인각사와 가까운 곳에 묘를 썼다고 한다. 일연스님의 어머니 묘지를 썼다 해서 지금도 묘지가 있는 지역은 '능골'이라 불리고 있다.

인각사 정조지탑

인각사에 내려와 어머니를 극진히 모시고자 했으나 1년의 시간도 함께 하지 못한 슬픔은 이루 말로 표현할 수 없었다. 그러나 아들이 불제자로서 소명을 다하기를 염원하였던 어머니의 마지막 유지를 받들어 이 땅신라, 고구려, 백제에 있었던 불교 이야기를 전하는『삼국유사三國遺事』집필에 매진하였으며, 구산문도회를 개최하여 구산문의 부흥에 노력하였다. 스님은 어머니를 잃은 5년 후에 병환을 얻어 방장실方丈室에서 금강인을 한 모습으로 입적하였다. 스님의 사리를 모신 정조탑靜照塔은 어머니 묘지의 정면과 마주하고 있으며, 정조탑과 어머니 묘는 모두 인각사를 바라보고 있다. 마치 때가 되면 인각사에서 모자가 못다 한 정을 나누기라도 하듯 말이다.

설총의 탄생이야기 _ 몰가부殁柯斧설화

원효스님은 일찍이 백성들을 위해 포교를 하던 중 어느 날 상례에서 벗어나 거리를 거닐며 노래를 부르기 시작하였다.

"누가 자루 빠진 도끼를 허락하려는가? 나는 하늘을 받칠 기둥을 다듬고자 한다. 誰許沒柯斧 我斫支天柱"

뜻을 알 수 없는 이 노래는 저잣거리에 퍼져 거지들은 노래를 주고받으며 구걸을 하였고, 아이들은 자치기나 말타기 놀이를 하며 돌림노래로 이 노래를 불렀다.

결국, 이 노래는 왕의 귀에까지 들어갔다. 태종무열왕太宗武烈王은 그것을 듣고서 곰곰이 생각했다.

"원효스님과 같은 고승이 왜 저런 노래를 불렀을까?"

왕은 순간 손바닥으로 무릎을 치며 박장대소하고 말하였다.

"이 스님께서 아마도 귀부인을 얻어 훌륭한 아들을 낳고 싶어 하는구나. 나라에 큰 현인이 있으면 그보다 더한 이로움이 없을 것이다."

그때 요석궁瑤石宮에 홀로 사는 공주가 있었다. 왕은 곧장 궁중의 관리를 시켜 원효를 찾아서 요석궁으로 맞아들이게 하였다. 궁중의 관리가 칙명을 받들어 그를 찾으려고 하는데, 벌써 원효스님은 남산에서 내려와 문천교蚊川橋를 지나고 있어 얼마 가지 않아 만나게 되었다.

우연이었는지는 몰라도 스님의 옷이 물에 떨어져 옷이 젖으니 관리는 스님을 궁으로 인도하여 옷을 벗어 말리게 하였다. 옷이 젖은 원효스님은 옷을 말리기 위하여 요석궁에 머물게 되었다. 얼마 지나지 않아 공주에게 태기가 있었고 아이를 낳으니 이 아이가 바로 설총薛聰이다.

『삼국유사三國遺事』 권 제4 「의해義解」 원효불기元曉不羈 조

2. 영파성규影波聖奎, 은해사에 화엄을 펼치다

출가의 길을 걷다

영파성규影波聖奎스님은 조선불교의 대선사이자 당시 최고의 화엄 강백으로 팔공산을 중심으로 활동하였다.

영파스님 진영 ⓒ국립대구박물관 · 은해사성보박물관

영파스님은 1728년 11월 11일에 태어났는데, 어머니 응천 박씨가 스님을 잉태할 당시 큰 별이 품 안으로 들어오는 꿈을 꾸었다고 한다. 태몽부터 남달랐던 스님은 유년시절부터 항상 자기관리가 엄격하여 그 비범함을 보여주었는데, 유학은 물론이며 도가, 묵가, 음양가 등 여러 학문에 뛰어났다. 뿐만 아니라 스님은 글씨도 빼어나 당시 서예가이자 원교체로 유명했던 이광사李匡師와 비견될 정도였다고 한다. 스님의 글씨는 거조사로 승격하기 전에 걸려있던 거조암의 편액에서도 확인이 된다.

 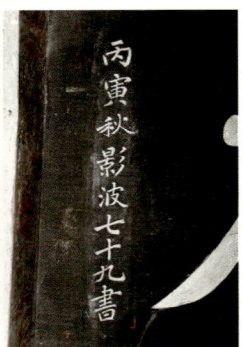

영파성규가 쓴 거조사 편액

영파스님은 15세에 청량암에서 도가, 묵가, 음양가 등 여러 학문을 수학했다. 그러던 어느 날, 절의 예불 시간에 모든 스님이 부처님의 주위를 돌면서 절하는 모습을 보고서 마치 오랜 인연이 있는 듯한 느낌을 받아 마음속으로 출가를 다짐하였다. 어쩌면 '전생에 이루지 못한 깨달음을 이번 생에는 증득하겠다.'라는 다짐이 아니었을까. 그렇게 서원을 세운 스님은 4년 뒤 홀연히 집을 떠나 청도군 최정산崔頂山에 있는 어느 사찰에 이르렀는데 그곳이 바로 용천사湧泉寺였다.

여기서 스님은 장로인 환응喚應스님에게 계율을 받고서 출가의 길을 걷게 되었다. 그리고 그날 밤 스님은 꿈에 가사를 걸친 노스님이 섬돌앞에

화엄십찰 청도 용천사 대웅전
ⓒ청도군청

서서 경쇠를 울리며 세 번 예를 올리는 모습을 보았다. 꿈에 나온 노스님은 영파스님이 큰 스님이 될 분임을 대중들에게 알리려 하셨던 것은 아닐까.

이에 답이라도 하듯이 이후 스님은 깨달음을 얻기 위해 전국 각지를 돌아다니며 해봉海奉, 연암蓮岩, 용파龍坡, 영허影虛 등 당대의 선사들을 만나 그들의 가르침을 받으며 부지런히 수행하였다. 그렇게 여느 때와 다름없이 정진하던 중 스님은 어느 날 문득 이런 생각을 하게 된다.

'부처님의 가르침을 펴려는 자는 깨달음을 우선해야 한다.'
釋門闡教者 以頓悟爲先

이러한 생각과 동시에 스님은 금강대金剛臺를 설치하여 재齋를 지내고 관세음보살의 법력을 빌어서 기도하였다. 그리고 재를 마친 그날 밤 스님은 신기한 꿈을 꾸었다. 그 꿈에서 스님은 어떤 방에 들어갔는데 그곳은 경전으로 가득 메워져 있었고, 장황裝潢이 선명하고 깨끗하여 열어보니 전부 『화엄경華嚴經』이었다. 이를 보던 중에 갑자기 노스님이 옆에 나타나 경전을 가리키면서 "깨달음이 전부 여기에 있다."고 말하고는 사라졌다.

그로부터 9년의 세월이 흘러 스님은 더욱 정진하기 위해 황산黃山으로 갔다가 거기서 장로 퇴은退隱스님을 만나게 되었다. 퇴은스님은 영파스님을 한번 보더니 이미 약속이라도 한 듯이 가지고 있던 경전을 전부 내주었는데, 그것은 스님이 9년 전 꿈에서 본 장황이 깨끗했던 그『화엄경』과 똑같은 것들이었다. 이를 신기하게 여긴 스님은 책을 펼쳐보았는데 그 내용이 이미 익숙한 듯이 읽혀 들어왔다.

이때부터 스님은 30년 동안『화엄경』이 가진 이치의 심오함과 그 오묘한 뜻을 깨닫는 데 전념하였다. 이후 스님은 당대의 화엄강백이자 대선사였던 설파雪波와 함월涵月 두 스님의 문하에 들어가 공부와 수행에 전념하였고, 함월스님으로부터 의발을 전수 받아 대둔사 13대 강주를 지냈다. 선과 교에 모두 뛰어났던 영파스님을 가리켜 대흥사의 대종사인 두운斗芸스님은 "연담대사께서 입적하신 후 명성과 덕행이 영파스님보다 더 뛰어난 사람은 없다."라고 평가하기도 하였다.

이렇게 명성과 덕행이 뛰어났던 영파스님은 대둔사의 강주 자리를 내려놓고, 팔공산 은해사를 찾아왔다. 그것은 화엄의 법을 펼친 진언스님의 유지를 잇기 위한 것이었다. 이렇게 은해사 산문으로 들어온 스님은 화엄대법회를 개최했던 운부암에서 여생을 보내며 조선불교의 중흥을 위해 후학 양성과 중창불사의 화엄 세계를 펼쳤다.

선시禪詩의 대가 낙동洛東 문인 영파

영파스님은 대선사이자 화엄강백으로서 그 명성이 자자했지만 글을 잘 쓰기로도 유명하였다. 함월스님으로부터 의발을 전수 받은 뒤 스님은 자주 시를 지었는데, 그 시들이 호남 각지 사찰의 스님들에 의해 널리 회자 되었다. 하루는 대흥사의 시오始悟스님이 완호玩虎스님의 방에 따라 들어갔다가 영파스님을 보게 되었다. 그때 시오스님은 연담蓮潭대사가 지은 율시를 스님께 보여주면서 화답하는 시를 지어 달라고 했다. 이때 이미 77세의 노년이었던 스님은 시오스님에게 자신은 늙어서 그 자리에서 짓기는 힘들다며 대신 예전에 지어놓았던 선시禪詩를 하나 보여주었다. 그 시의 내용은 이러하다.

七日關中亦有言   7일 동안 관중에서 부처님의 설법을 들었으니
威音雷若震乾坤   위엄스런 음성 우레와 같아 천지를 진동했네
欲聆無說傳千古   말없이 말한 천고의 진리 알고 싶었는데
秋夜寒鍾挂寺門   가을밤 찬 종만 절 문에 걸려 있구나

갑자년1804 가을, 낙동 문인 성파가 쓰다 甲子秋, 洛東文人聖波書

스님은 율시 중에서도 짓기가 까다로운 칠언율시를 즐겨 쓰셨다. 시 마지막에는 낙동 문인 성파洛東文人聖波라고 쓰여져 있는데, 이는 시를 지을 때 사용한 스님의 필명으로 보인다.

이처럼 화엄의 대강백으로 철저한 수행자의 면모를 지녔던 스님이 시詩를 짓고 스스로 '낙동문인洛東文人'의 한 사람인 '성파聖波'하였으니 해박한 지식과 선사로서의 기품氣品이 문장 곳곳에 여전히 남아있다.

3. 운봉성수雲峰性粹, 은해사에서 출가 발심하여 근대 선지식이 되다

은해사에서 출가 발심하여 선지식이 되기까지

운봉성수雲峰性粹, 1889~1946스님은 1889년 12월 7일 경상북도 안동에서 태어났다. 그의 어머니는 그를 잉태할 당시 꿈에서 환한 빛을 보았으며, 대한 광무 기축년 섣달 초이레 성도재 전날 밤 스님을 낳으실 적에 흰 빛 서기가 줄기 솟으니 동리 사람들이 모두 신기하게 여겼다는 전설이 전해진다.

은해사 운봉선수 발심 상상도

스님은 어린 나이에 향교를 다니며 학문을 익혔으며 총명함이 남달랐다 한다. 그러던 어느 날 스님이 부친과 함께 은해사에 불공을 드리러 갔다가 그 자리에서 발심하여 바로 출가를 결심했다. 스님의 속세 나이 겨우 13세 때의 일이다.

부친을 따라 은해사에 불공을 드리러 왔다가 발심하여 출가를 감행한 운봉스님은 과거생부터 불연佛緣을 이어 오지 않았을까? 13세의 어린 나이로 출가를 결심할 당시 스님의 마음이 어떠했을지 『운봉선사 법어』 「출가出家」를 보면 알 수 있다.

害斷恩愛處　　모든 은혜 모든 사랑 끊어 버릴 때
利氣衝天極　　용맹심은 하늘까지 사무쳤도다
豁開胸襟時　　가슴속 활짝 열어 해탈하는 날
傾寶施群生　　가장 좋은 보배를 중생들께 보시하리

『운봉선사 법어』 「출가出家」

고작 13살 어린나이였음에도 깨달음을 향한 구도의 마음과 중생을 향한 애잔한 마음이 있었던 것이다. 이후 김일하金一荷스님에 의지해 15세에 계를 받은 다음 강원에 입학하여 같은 나이에 다시 강백이었던 회응晦應스님으로부터 교법을 배웠다. 23세에는 부산 범어사에서 만하萬下스님으로부터 구족계를 받고 상주 원적에서 석교石橋스님에게 계율을 공부하였다.

이러한 공부와 수행에도 스님은 스스로 흡족함을 느끼지 못했다. 스님은 마치 아기가 걸음마를 처음 배우듯 새롭게 수학하기로 결심하고, 당시 유명한 선원이나 선지식이 있는 곳이면 가리지 않고 참예參詣하였다. 이후 10여 년 동안 참선 공부에만 혼신의 힘을 다하였다. 하지만 화두일념이 현전되는 경계는 그리 쉽게 이루어지지 않았다.

35세가 되던 해, 심기일전心機一轉하기로 마음먹고 대발원을 세워 100일 기도를 마친 후 사생결단의 각오로 백양사 운문암에서 동안거에 정진하였다. 이때 비로소 스님은 활구活句로 일관하여 화두가 뚜렷하였다. 그렇게 한 달이 지나고 섣달 보름이 되어 우연히 해가 떠오르는 이른 아침에 문밖에 나서는데, 순간 홀연히 마음이 밝아 모든 의심이 일시에 사라짐을 느꼈다.

이때 스님의 감정은 당시 스님이 읊었던 오도송悟道頌에 남아있다.

出門驀然寒鐵骨
豁然消却胸滯物
霜風月夜客散後
彩樓獨在空山水

문밖에 나왔다가 갑작스레 차가운 기운이 뼛속에 사무치자
가슴속에 오랫동안 걸렸던 물건 활연히 사라져 자취가 없네
서릿발 날리는 달 밝은 밤에 나그네들 헤어져 떠나간 다음
오색단청 누각에 홀로 있으니 산과 물이 모두 다 공하도다

『운봉선사 법어』 「백암산 운문암 타몽白巖山雲門庵打夢」

운봉스님은 자신의 깨달음을 검증하기 위해 당대 최고의 선승이었던 부산 선암사 혜월慧月스님을 찾아뵈었고 혜월스님은 운봉스님을 인가하였다. 이때 스님은 '운봉당雲峰堂'이라는 법호와 전법게를 받게 되었다.

하루는 혜월선사께서 성수스님께 묻기를
"삼세의 모든 부처님과 역대 조사 스님들은 어느 곳에서 안심입명安心立

命하고 계십니까?"

이에 혜월선사께서 양구良久:가만히 계심하셨다.

성수스님께서 냅다 한 대 치시면서 말하기를

"산 용이 어찌하여 죽은 물에 잠겨 있습니까?"

"그럼 너는 어쩌겠느냐?"

성수스님이 문득 불자拂子를 들어 보이시니 혜월선사께서는, "아니다." 라며 부정하셨다.

이에 성수스님이 다시 응수應酬하시기를,

"스님, 기러기가 창문 앞을 날아간 지 이미 오래입니다."

하자, 혜월선사께서는 크게 한바탕 웃으시며,

"내 너를 속일 수가 없구나." 하고 매우 흡족해 하셨다.

여기에서 혜월선사께서는 성수스님을 인가하시고는 호를 운봉雲峰이라 하며 임제정맥臨濟正脈의 법등法燈으로 부촉하여 전법게를 내리셨다.

付雲峰性粹	운봉 성수에게 부치노라
一切有爲法	일체 함이 있는 법은
本無眞實相	본래로 진실한 상이 없는 것
於相若無相	모든 현상이 실상 없는 줄을 알면
卽名爲見性	곧 그대로가 견성이니라
諸相本非相	모든 현상은 본래로 상이 아닌 것
無相亦無住	고양이 없고 또한 머무름도 없나니
卽用如是理	이와 같은 이치를 바로 쓴다면
此是見性人	이것이 바로 견성한 사람이니라

「운봉선사 법어」

이후 스님은 도봉산 만일 선원에서 용성스님을 친견하여 문답하고 덕숭산에 올라 만공스님과도 함께 정진하며 법을 잊지 않으셨다.

운봉, 향곡에게 부촉하다

훗날 운봉스님은 양산 내원사 조실로 계셨는데, 이때 향곡스님을 만나게 된다. 1941년 봄에 단석산斷石山으로 물러앉아 있으시다 1943년 동해안의 월내포 묘관음사에 옮기시어 병환이 깊어지시니 제자 향곡스님이 모시며 묻기를

"스님께서는 도道를 깨치셨습니까?" 하니
  스님이 말씀하시기를 "깨달았다면 벌써 도가 아니고, 도라 하면 벌써 깨달음이 아니니라."
하시고 냅다 한 대 때리시었다.
또 향곡스님이 묻기를 "대적삼매大寂三昧도 변함이 있습니까?" 하니
스님께서 "누가 적정삼매寂靜三昧라 하더냐?"라고 되물었다.
향곡스님이 다시 "열반로두涅槃路頭가 어데 있습니까?"하고 다시 되물었다.
이에 운봉스님은 혀를 차며 "아야 아야!"라 하셨다.

  또 어느 날 향곡스님이 묻기를
"스님께서 돌아가시면 어데로 돌아가시렵니까?" 하니
"이웃 마을 시주네 집에 물소가 되어 가리라."라 하였다.
"그러면 소라고 불러야 하리까 스님이라고 불러야 하리까?" 하니
"풀을 먹고 싶으면 풀을 먹고 물을 먹고 싶으면 물을 마시리라." 하시었다.

운봉스님의 병세가 악화되어 돌아가시기 열흘 전에 향곡스님이 물었다.
"스님께서 입적하시는 날은 어떤 날입니까?"
"토끼 꼬리 빠지는 날이니라." 하시었는데,
스님이 입적한 날인 2월은 묘卯월, 즉 토끼달이었다. 이달 그믐날 저녁에 손수 유표를 써서 후가를 부촉하셨다.
향곡 · 혜림 · 진실에 부치노라.
"서쪽에서 온 문채없는 겁인은 전할 것도 받을 것도 없는 것일세. 전하니 받느니를 뚝 떠나면 해와 달은 동행하지 않으리라. 西來無文印 無傳亦無受若離無傳受 烏兎不同行"

그때 향곡스님이 마지막으로 묻기를,
"스님께서 돌아가신 뒤에 저희들은 누구를 의지하리까?" 하니
운봉스님께서 오른손으로 자리를 치시면서 육자배기를 읊으셨다.
"저 건너 갈미봉에 비가 묻어 오는구나 우장 삿갓을 두르고서 김을 메러 갈게나." 하시고는 편히 눈을 감으려 하자 향곡스님이 다시
"스님!" 하며 소리치자
"날 불러 뭘 하려고." 하시며 입적에 드셨다.

이때 스님은 서수 56세, 법랍 44세였다. 스님의 법을 이은 이가 향곡스님과 더불어 20여 명이 된다.
한 평생 정진하며 선지식으로서 대중을 이끌어 갔던 스님의 뒤를 계속 이어가고 있으니 그날 13살 소년이 은해사를 찾지 않았다면 우리는 한국 근현대의 선지식을 만나지 못했을 것이다.

4. 동곡당 일타東谷堂 日陀, 율도량을 꿈꾸다

일타스님 ⓒ은해사성보박물관

남다른 불연佛緣, 연비로 이어지다

일타스님은 1929년 충남 공주에서 출생하였으며, 친가와 외가의 친인척 41명이 출가하여 승려가 된 수행자 집안 출신이다. 스님의 큰외삼촌을 시작으로 외할아버지와 외할머니 그리고 나머지 세 명의 외삼촌까지 모두 출가한데 이어 친가의 부모와 형제, 누이까지 모두 출가하였다. 이는 석가모니부처님과 그 일족의 출가 이후 가장 많은 숫자로 기록되고 있다.

일타스님 일가一家와 불교와의 인연은 외증조 할머니인 이평등월李平等月 보살의 기도와 입적入寂, 그리고 방광의 이적異跡이다.

이평등월 보살의 집에 어느 날 비구니 스님이 탁발하러 왔다. 이에 할머니는 스님을 보자 마치 관세음보살님을 보는 것 같다는 생각을 하게 되었고, 집안에서 가장 큰 바구니에다 쌀을 가득 담아서 스님의 걸망에 부어 드렸다고 한다. 그러자 할머니를 조용히 보고만 있던 비구니 스님이 갑자기

"보살님 나이가 70이 다 되었는데 앞으로 살면 얼마나 살겠소? 돌아가실 때까지 '나무아미타불'을 열심히 부르면 업 같은 것은 십만 팔천리 도망가 버리고, 극락세계에 갈 수 있게 됩니다."

라고 말해주고 떠났다고 한다. 비구니 스님이 걸망을 두고 떠났기에 걸망을 들고 찾아 나섰으나, 그 비구니 스님을 찾을 수 없었다. 스님을 찾고 싶은 마음에 수소문했지만 동네 사람 중 어느 누구도 비구니 스님을 본 적이 없다고 했다. 그때서야 할머니는 그 비구니 스님이 자신을 발심시키기 위해서 온 문수보살의 화신임을 깨닫고 가르침대로 오로지 '나무아미타불'을 부르며 지냈다고 한다. 그렇게 10년 가까이 스님이 시킨 대로 하루 종일 '나무아미타불'을 염송하고 지나자 할머니는 앞일을 내다보는 신통력神通力이 생겼다.

이렇게 할머니는 부지런히 염불 기도를 하다가 88세의 나이로 돌아가셨는데, 7일장을 지내는 동안 매일 같이 방광放光을 하였다고 한다. 이적을 보이신 것이다. 낮에는 햇빛에 가려 잘 보이지 않았지만, 밤만 되면 그 빛을 본 사람들이 '불이 났다'며 물통을 들고 매일 같이 달려오기를 거듭했다고 한다. 상식으로는 이해할 수 없는 신기한 일이며, 그야말로 언제나 대광명을

뿜어낸다는 상방대광명常放大光明, 그 자체였다.

일심으로 염불하고 기도한 공덕으로 부처님의 불가사의한 가피가 함께 한 것이다. 이 같은 영험함을 직접 체험한 가족들은 크게 감화를 받고 그 뒤 차례로 출가하여 집안 친가·외가 41인 모두가 출가하여 승려가 되었다.

외증조 할머니의 염불 기도는 일타스님의 집안을 불심佛心으로 가득 채웠다. 불심 깊은 집안에서 성정한 일타스님 또한 14살에 양산 통도사로 출가하였고, 1954년 26세에는 오대산 적멸보궁에서 오른손 열두 마디를 연비고행의 한 방법으로 향불로 손가락 마디를 지지는 일 하며 정진으로 일대사를 해결할 것을 발원하기에 이른다. 그리고 홀로 태백산 도솔암에 들어가 6년 동안 수행정진으로 정각을 이룬 후, 치열한 구도의 길을 걸으며 한국불교의 선지식이 되었다.

은해사에서 율도량을 꿈꾸다

일타스님이 우리에게 율사로 유명한 것은 스님이 평생에 걸쳐 삼학[三學; 불교 수행자가 닦아야 할 기본적인 세 가지 공부 방법으로 계戒·정定·혜慧를 말함] 중 계[戒; 불교에 귀의한 사람이 지켜야 할 행위 규범]를 특히 강조했기 때문이다.

일타스님의 계율과 관련한 행적은 30대 초반에 이미 계율과 관련된 글을 발표한 것을 시작된다. 스님은 34세에 불교 재건 비상종회의 종회의원율장부문으로 선출되어 율장에 의거한 종헌, 종법 기초 작업에 참여하였다. 이후 현재 계단위원회에서 구족계 산림에 사용 중인 『수계의범 授戒儀範』에서부터 사미沙彌들을 위한 『사미율의沙彌律儀』와 일반 재가불자를 위한 『범망경보살계梵網經菩薩戒』에 이르기까지 각종 계와 율에 관한 저술을 다양하게 남겼다.

일타스님과 은해사의 인연은 1994년66세 스님이 은해사 주지를 맡으면서부터이다. 평생 주지 소임을 맡지 않으셨던 스님의 이력을 생각하면 은해사 주지 부임은 남다른 의미가 있다.

> 우리나라에 번듯한 율도량이 하나도 없다. 그래서 은해사를 훌륭한 율도량으로 가꾸고 싶다. 평생 이판승으로 살아온 내가 사판의 주지를 맡은 이유도 여기에 있다. 또 석주 노스님의 율도량을 만들라는 당부도 있었다. 은해사의 도량 정비가 끝나는 대로 은해사에 눌러앉아 뜻있는 스님들과 율을 연구하고 실천하고 싶다.
>
> 「일타화상수월명日陀和尚水月銘」

스님께서 은해사에 주지 소임을 맡으며 번듯한 율도량을 가꾸려고 한 심정은 당시 1994년 언론 인터뷰 내용에서도 확인할 수 있다. 당시 언론은 일타스님이 은해사 주지로 부임한 취지에 대해 은해사를 계율 전문 사찰로 변혁하기 위함이라 보도하였다.

> 개혁회의는 종단건계대화상 일타스님을 20일 은해사 주지로 임명했다. 일타스님께서는 계율 진흥의 근본 도량으로 발전시키는 장기적 구상을 밝혔다. 은해사를 계율근본 도량으로 지정한 것은 종단의 청정한 수행 기풍을 진작시키고 계율 진흥의 계기를 삼고자 하는 것으로, 앞으로 은해사는 계율에 대해 전문적으로 연구, 강의하고 행자 교육을 위한 습의사習儀師 및 율사律師를 집중적으로 육성할 계획이다.
>
> 「불교신문」

이러한 원력을 가지고 은해사에 도착한 스님은 은해사를 율도량으로 가꾸기 위해 총력을 쏟음과 더불어 은해사와 은해사 산내 암자 곳곳에

은해사 일타스님 사리탑

은해사 일타스님 비

은해사 천왕문에 있는 일타스님 편액

편액을 쓰고, 중창에 앞장서기도 하였다.

특히 운부암 중창을 위해 직접 모연문[募緣文: 모연募緣은 '인연을 모은다'는 뜻으로, 사찰을 창건하거나 불상 혹은 탑을 조성하는 데 쓰이는 비용을 조달하기 위해 재물을 모금하는 일]을 작성하여 옛 운부암 모습을 되찾기를 소원하였다. 스님은 운부암 중창이 원만히 이루어지고 나면 당신의 말년을 운부암에서 보내고 싶다고 말할 정도였다.

> "노장님[일타스님]의 회향처라고나 할까요. 일타 노장님께서 선방이 다시 개설되면 경당 중의 명당인 이곳[운부암]에서 여생을 보내시겠다고 약속하셨습니다."
>
> 「중앙일보」

은해사에 와서 율도량으로 기반을 심고, 산내 암자의 중창에 힘쓰셨던 스님은 2년간의 주지 소임을 마치고, 1996년 5월부터 은해사 조실로 머물렀다. 조실로 계신 동안에도 스님의 법향은 은해사와 산내 암자에 가득했다.

은해사에 머문 5년 뒤인 1999년 11월 22일 하와이로 떠났다. 이는 스님의 평소 발원인 '미국에서 태어나 전 세계를 제도하겠다.'는 서원에 의한 것이었다. 그러나 열흘도 채 지나지 않은 11월 29일, 스님의 병세가 짙어지면서 하와이 와불산 금강굴에서 입적하였다.

갑자기 맞이한 스님의 입적에 은해사 대중은 물론, 불교계 전체가 애통해하였다. 애통함 속에 1999년 12월 5일 은해사에서 다비[茶毘: 불교에서 전통적으로 시신을 화장하는 종교의례. 불교의식·화장 장례의식]식을 한 후, 사리[舍利: 참된 수행의 결과로 생겨나는 구슬 모양의 유골] 542과를 수습하였다.

일찍이 스님은 당신의 입적을 미리 알아차리고 대중들에게 시(詩)를 남겼다.

> 진실한 말로 내 그대들에게 전별을 고하노라.
> 파도가 심하면 달이 나타나기 어렵고
> 방이 그윽하면 등불이 더욱 빛나도다.

그대들에게 마음 닦기를 간절히 권하노니

감로장을 기울어지게 하지 말지니라.

「일타스님 게송」

　스님의 시처럼 절제된 생활로 우리의 정제된 삶 속에 언제나 등불이 환히 비추길 기원한다.

5. 육문六文스님, 원력으로 비구니 전문 수행도량을 일구다

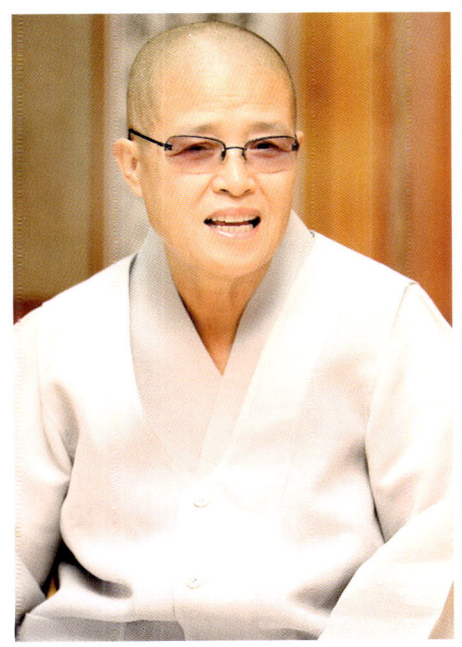

육문스님

일일부작 일일불식一日不作 一日不食의 삶

육문스님은 현대 한국 비구니계의 큰 스승 중 한 분이다. 육문스님은 15살 때 받아들이기 힘든 조카의 죽음을 겪었다. 스님은 어린 조카가 죽으며 사랑하는 가족 품을 떠나는 것을 보고 인생의 무상無常함을 깊이 느끼게 되었다.

그리고 세속의 무상함에서 벗어나고자 출가를 결심하고 절로 향했다. 그러나 내년 어머니 회갑을 지내고 다시 오라 하여 집으로 돌아와, 다음 해 모친의 회갑을 치르고 출가하였다. 모친의 환갑날은 사월 초파일이었는데, 잔치를 끝내고 그날 출가를 하였으니 어쩌면 과거 생부터 불연佛緣이 깊은 것 아니었을까.

이후 스님은 동화사 양진암, 내원사, 해인사 삼선암 등의 선원에서 한 철도 거르지 않고 수행정진하였다.

육문스님을 이야기할 때 '일일부작 일일불식一日不作 一日不食'을 빼놓을 수 없다. 2019년 한 인터뷰 기사를 보면 인터뷰를 하기 위해 육문스님을 찾아뵈었던 기자는 육문스님과의 첫 만남을 다음과 같이 기사에 녹여냈다.

> 약속 시간에 맞춰 찾아갔을 때 법주사 뒤 청화산靑華山 아래 자락 밭을 매다가 내려오신 스님의 손에는 벌써 늙어버린 몇 줄기의 쑥대가 담긴 바구니가 들려 있었다. 스님은 '일일부작 일일불식'이지 하시며 만남을 가질 스님의 거처, 일영당日榮堂으로 안내했다.
>
> 「경북일보」

육문스님이 백흥암에 온 이후로 지금까지도 백흥암은 쌀을 제외한 식자재를 스스로 가꾸고 일구어 자급자족으로 끼니를 해결한다. 육문스님이 처음 백흥암 주지 소임을 맡으면서 함께 온 대중이 열댓쯤 되었다. 당시에도 쌀을 제외한 찬거리를 자급하였는데, 그 전통이 오늘에까지 이르고 있는 것이다.

현재도 백흥암 암자 담 넘어에는 제법 큰 규모의 텃밭이 펼쳐져 있다. 여러 가지 먹거리 채소가 재배되고 있는 그 크기만큼 비구니 스님들은 땀을 흘렸을 것이다. 백흥암 비구니 스님들은 살림이 아무리 빠듯해도 '돈'되는 일은 하지 않는다. 부처님오신날과 백중 때만 산문을 개방하는데, 이때 등을 다는 이들에게 등값은 받지 않는다. 이와 같은 백흥암만의 가풍은 모두 육문스님으로부터 비롯되어 지금 이 시간까지 백흥암의 전통으로 이어지고 있다.

　백흥암에서 수행하는 비구니 스님들은 선원에 앉아 참선하는 수행만을 고집하지 않는다. 왜냐하면 밭을 매는 것 또한 하나의 수행으로 생각하기 때문이다. 백흥암의 '일일부작 일일불식'의 정신은 육문스님으로부터 출발한 것이며, 철저한 수행자로서의 이러한 가풍은 백흥암을 최고의 비구니 수행도량으로 만든 토대라 할 것이다.

백흥암 비구니 스님들의 밭과 울력

비구니 전문 수행도량을 일구다

백흥암이 전국 최고의 비구니 수행도량이 된 것은 육문스님의 원력에서 비롯되었다. 육문스님과 백흥암의 인연은 내원사와의 인연 직후 시작되었다. 1971년 스님은 내원암 원주를 살았는데 해제 이후 도반들과 헤어질 생각에 마음이 심란하였다. 이에 스님은 용기를 내어 "산철 결제를 하면 내가 원주로 외호外護를 할께."라며 도반들을 설득시켰고, 도반들은 이를 받아들여 산철 결제를 하게 되었다. 사실 당시는 양식도 부족하고 땔감도 귀하여 선방에서도 산철 결제를 하기란 쉽지 않았다. 하지만 내원암 산철 결제 이후, 비구 선방에서도 산철 결제가 생겼다.

육문스님과 백흥암의 첫 인연은 내원사 산철 결제 이후 스님 속세 나이 서른 넷일 적이다. 선원을 떠돌던 어느 날, 스님은 백흥암에 이르러 하룻밤 묵게 되었다. 컴컴한 어둠속 해우소에 갔다가 해우소 바닥을 어슬렁거리는 고양이를 만나게 되었는데 그때 서로 놀라 그 길로 새벽에 걸망만 메고 백흥암을 도망치듯 떠났다. 이후 가만 생각해 보니 부처님께 인사도 채 드리지 못하고 떠나온 것이 못내 마음에 걸려 다시 백흥암을 찾아가게 되었다. 밝은 날 다시 뵌 부처님은 개금이 떨어져 어룩덜룩했는데, 그 모습이 마치 눈물을 흘리시는 듯하였다.

당시 백흥암은 여러 건물이 자리하고 있었지만 그것은 그저 시늉일 뿐 형세가 남루하여 폐사나 다름없었다. 담장은 무너진지 오래였고, 수시로 등산객들이 들락거리면서 누각 밑에 텐트를 치고 야영하는 것은 물론 아침부터 고기를 굽는 등 사찰이라고 말할 수 없을 지경이었다. 이를 지켜볼 수 없었던 육문스님은 백흥암을 불사하기로 결심하고 주석하기 시작하였는데 그 세월이 어느덧 20여 년이다.

10년 선방을 다니다 1981년에 백흥암에 와서도 죽비를 잡고 몇 년을 살았다. 그런데 절이 너무 낡아 비가 새는 지경이 됐다. 다시 손을 봐야 하는 큰 불사지만 겁이 나진 않았다. '부처님, 이러이러해서 불사를 해야 하는데 부처님이 도와주셔야 겠습니다' 발원만 했다.

물론 일은 힘들었다. 차도 못 들어와 돌을 등으로 져 나르며 길을 닦았다. 일한 기억 밖에 없다. 하지만 한 번도 왜 이렇게 살아야 하나라는 생각 해 본 적은 없다. 떠날까 싶다가도 '내가 가면 누가 와서 또 이 일을 하겠나' 싶었다. 내가 금생에 이 일을 어쨌든 해야 한다는 생각 때문이었는지 불사는 순조로웠다. 17년인터뷰 당시 2015을 했는데 나랏돈 하나 안 받고 할 수 있었다.

「법보신문」

낡고 비가 새는 백흥암에 들어와 "일한 기억 밖에 없다."는 스님의 기도와 울력으로 지금의 모습을 갖추게 된 백흥암. 현재까지도 백흥암은 육문스님의 뜻을 이어받은 소현스님이 그 전통을 이어가고 있다.

6. 성철스님과 향곡스님의 운부암 인연이야기

운부암은 1995년 운부암 주지 스님이었던 선조스님과 당시 은해사 주지 스님으로 계셨던 일타스님의 원력으로 현재의 모습을 갖추게 되었다. 긴 세월을 거치는 동안 쇠락해 있던 운부암을 일타스님은 모연문募緣文까지 직접 지어서 선승들의 수행도량으로 이어지기를 발원하며 중창불사를 하였다.

하지만 당시 분위기는 부정적이었다. 그러나 일타스님은 원력을 꺾지 않으셨고, 그 뜻을 받들어 선조스님·법타스님 그리고 현재 운부암 주지이신 불산스님을 중심으로 중수가 원만히 이루어졌다.

> "노장님[일타스님]의 회향처라고나 할까요. 일타 노장님께서 선방이 다시 개설되면 명당 중의 명당인 이곳[운부암]에서 여생을 보내시겠다고 약속하셨습니다. 그러나 사람 발길이 뜸한 이런 산중에 선방 불사가 어디 쉽겠습니까."
>
> 「중앙일보」

개원 당시1998 선조스님은 인터뷰에서 "수행하는 스님들을 위한 선원이 개원돼 기쁘다. 많은 수행자들이 이곳에서 마음자리를 찾았으면 한다."라고 밝혔다. 스님의 발원은 현재까지 잘 이어져 개원 이후 운부선원은 여전히 선승들의 수행처로 법등을 이어가고 있다.

운부암 성철방. 성철스님의 수행과 깨달음을 전하는 방사

운부암은 예로부터 고승 대덕들과 선지식들이 두루 거쳐 간 수행처로 그 명성이 높다. 근세에도 운부암은 도리사 선원과 더불어 2대 선원으로 불린 이름난 수행처였다.

성철스님은 26세에 통도사 백련암에서 동안거1938를 마친 후 은사 스님이 조실로 주석하시던 운부암으로 거처를 옮겼다. 1939년, 성철스님은 여전히 운부난야에서 수행을 이어갔는데, 그때 한 일화를 현재의 운부암 주지이신 불산스님이 다음과 같이 전해준다.

> 추운 겨울, 선방에 군불을 지펴 놓고 아궁이 앞에서 선정에 든 성철스님. 먹이를 찾아 내려온 노루가 온기를 느낀 아궁이로 찾아 들었다. 노루는 성철스님이 앉아 있어도, 아무런 두려움 없이 옆에 앉아 불을 쬐었다. 불을 쬐고 있다가 뜨거워진 불에 몸이 가렵자 노루는 성철스님 몸이 막대기인 양 비비고 문지르며 가려움을 긁고 있었다.

이 일화에서 보면 성철스님은 아궁이에 불을 지피다가도 선정禪定에 드셨던 것인지, 아니면 혹여 당신이 움직이면 노루가 놀랄 것을 우려하셨던 것인지는 모를 일이지만 그 장면을 떠올리면 가슴 한구석이 따뜻해지면서 흐뭇한 미소를 짓게 된다.

성철스님이 운부암에서 선수행을 이어가고 있으시던 시절, 이곳에서 성철스님은 평생의 도반인 향곡혜림香谷蕙林, 1912~1978스님을 만나게 된다. 이때의 인연으로 두 스님은 1947년 봉암사 결사에도 함께하였는데, 이때 향곡스님은 활연대오豁然大悟에 이르게 되었다.

> 문경 봉암사에서 여러 도반들과 함께 정진하던 중 한 도반성철이 묻기를 "죽은 사람을 죽여 다하면 바야흐로 산 사람을 볼 것이요. 또 죽은 사람을 살려 다하면 바야흐로 죽은 사람을 볼 것이라는 말이 있는데 그 뜻이 무엇이겠느냐" 하거늘 몰록 무심삼매無心三昧에 들어 21일 동안 침식을 잊고 정진하다가 하루는 홀연히 자기의 양쪽 손을 발견하자마자 활연대오豁然大悟를 하셨으니...

'죽은 사람을 죽여 다하면 바야흐로 산 사람을 볼 것이요, 또 죽은 사람을 살려 다하면 바야흐로 죽은 사람을 볼 것'이라는 문구는 당대唐代의 선승禪僧이었던 원오극근圜悟克勤, 1063~1135의 일화를 모아둔 『벽암록碧巖錄』에 나오는 글이다. 성철스님의 평생 수학과 그 속에서 찾은 공안이 향곡스님에게 새로운 공안이 되어 대오하시니 운부암 인연으로 만나게 된 두 분은 평생 수행의 도반이자 또 다른 의미에서 서로가 서로에게 스승이었던 것이다.

우리 시대의 큰 스승이었던 성철스님과 향곡스님이 만난 인연의 장소인 운부암. 한국 근현대 불교사를 대표하는 경허鏡虛, 만공滿空, 한암漢岩, 경봉鏡峰, 청담靑潭, 향곡蕙林, 성철性徹, 일타日陀와 같은 선승들이 머물렀던 곳이며, 오늘날에도 운부난야에는 뼈를 깎는 수행으로 확철대오를 위해 여러 수좌들이 용맹정진하고 있다.

제 8 장

은해사에 가야만 들을 수 있는 이야기

無路之處孵真命
無始無從於此法
或建或破天堂獄
是以凜騰三界主
若沒尋覓甘泉則
與摩尼主隔千丈
是什麼!

길 없는 곳에서 참 생명의 길을 만들어 내며
무시무종으로 이 법에서
지옥 천당을 건설하고 혹 쳐부수기도 하면서
당당히 대 우주의 주인공이 되나니
결코 마르지 않는 샘을 발견하지 못하면
여의주의 주인이 되지 못하리라!
이뭣고?

은해사 조실 | 글_혜인스님 임종게

1. 은해사 향나무 전설이 품은 불교적 의미

팔공산 동쪽 기슭에 자리잡고 있는 은해사는 천년이 넘는 시간 동안 그 자리를 지키고 있는 영천의 대표적인 사찰이다. 일주문을 지나 보화루를 통과하면 천년고찰인 이곳을 약 오백년 동안 지켜온 수호수守護樹가 있는데, 바로 향나무이다.

은해사 향나무

은해사의 천년이라는 긴 역사 중 절반을 함께한 만큼 이 향나무에 얽힌 이야기가 하나 전해진다.

500여 년 전 은해사의 주지로 계시던 어느 스님이 향나무 묘목 세 그루를 가지고 와서 마당에 심었다. 스님은 지극정성으로 세 향나무를 돌보았다. 하지만 스님이 은해사를 떠나고 시간이 지나자 세 그루의 향나무는 사람들의 관심으로부터 멀어졌다. 눈길을 받지 못한 이 작은 나무들은 비, 눈, 태풍 등 온갖 고난을 스스로 이겨내야만 했다. 하지만 불행 중 다행인지 각자의 처지를 알았던 세 나무는 서로가 의지하기 시작했다. 서로의 줄기를 꼬아 더욱 단단해짐으로써 온갖 풍파를 이겨내고 성장하였다. 그렇게 세 향나무는 서로가 의지하여 하나의 향나무로 자라났고, 그 자리를 오백 년 넘게 지켜오면서 문지기처럼 은해사를 굳건하게 지키고 있다.

세 그루의 향나무가 하나의 향나무가 되다

두 그루도 아닌 세 그루의 향나무가 하나의 나무로 성장한 것은 불교의 법수 '삼三'을 떠오르게 한다. 불교에서 '3'이라는 숫자는 삼계三界, 삼세三世, 삼불三佛, 삼신三身, 삼덕三德, 삼문三門, 삼부三部, 삼학三學 등 너무나 다양하게 사용된다. 법수 3은 본디 하나의 것에서 출발하고 종래에는 하나의 의미로 합치된다는 점이다.

몇몇 예를 보자. 삼세三世의 경우, 삼세는 과거·현재·미래를 뜻한다. 과거·현재·미래라는 분별은 사실 중생의 마음에서 비롯된 것이지 사실 깨달은 자에게는 과거·현재·미래는 본디 다른 개념이 아니다.

> 사리불아, 보살마하살이 반야바라밀을 행할 때 과거·미래와 다투지도 않고 미래·과거와 다투지도 않으며, 현재·과거·미래와 다투지도 않고 과거·미래·현재와 다투지도 않는다. 왜냐하면 삼세三世는 공空과 함께 하는 것을 볼 수 없기 때문이니라.
>
> 『광찬경光讚經』

> 상대적 관계의 차별에 의해 삼세의 차이가 있다. 모든 법이 삼세三世에 행할 때 전후의 상대, 즉 시간적 전후에 따른 상대적 관계에 따라서 명칭이 성립되고 차별이 있게 되는 것이다. 마치 동일한 어떤 여인이 관계에 따라서 어머니, 혹은 여자로 불리는 것과 같다.
>
> 『아비달마구사론阿毘達磨俱舍論』

깨달은 자에게 '삼세'는 분별에 불과하며 본디 '공空'이라는 하나의 개념으로 환원된다. 그러니 과거·현재·미래를 다른 차원으로 보는 것은 마치 한 여인을 다양하게 부르는 것과 같은 분별에 지나지 않는다는 여러 경전의 말씀처럼 말이다.

삼학三學은 계율·선정·지혜[戒·定·慧]를 일컫는 말로 수행 체계를 세 부분으로 나누어 놓은 개념이다. 하지만 이러한 삼학 또한 실은 언어로써 계율·선정·지혜를 각각 나누어 설명하고 있을 뿐 계율·선정·지혜는 본디 하나의 공부이며 서로에게 기대어 있다.

가령 선수행禪修行을 통해 선정禪定을 득得한 이는 본래 내 마음 안에 있는 부처님의 지혜가 밝혀지지 않을 수 없고, 그렇게 지혜가 밝혀진 이는 계율을 자연히 지키게 된다. 수행과 지혜 그리고 계율을 각각이 다른 수행 같지만 실은 하나로 돌아가는 것이며 서로를 상생相生하게 하는 것이다. 때문에 하나의 수행이 올곧다면 다른 두 수행은 자연히 따라오는 것이며, 하나의 수행이 올곧지 못하다면 다른 수행 또한 옳지 못한 것이다.

　세 개의 향나무가 큰 하나의 나무로 상생한 것은 흔치 않은 일이다. 그럼에도 은해사 수호수가 이런 모습으로 굳건히 자리를 지키는 것은 식물임에도 은해사의 불보살, 그리고 여법하게 수행하는 스님들의 영향을 받아서이지 않을까. 그리고 그 모습으로 다시 부처님 세계를 수호하는 역할을 자처하며 지금도 수행 중인 향나무이다

　더운 여름날, 향나무가 주는 그늘진 시원한 자리는 우리에게 휴식과 더불어 부처님의 설법을 온몸으로 느끼도록 하는 듯하다.

2. 흰쥐, 검은 쥐가
　　대웅전현.극락보전으로 숨어든 이유

은해사 대웅전현.극락보전은 1847년현종 13에 화재로 소실되었다가 1847년현종 15년 중수되었고 그때 중수된 모습이 지금까지 이르고 있다. 당시 이루어졌던 중수는 팔공八峰 대선사와 만월海月 대선사 등의 모든 은해사 스님들과 군수 김기철金箕哲의 후원에 의한 것이었다.

> "현종 13년 정미1847에 실화로 은해사가 극락전을 제외한 천여 칸의 사우를 전소하였다. 인종의 태실 수호사찰이며 영조 어제의 수호 완문을 보관하고 있는 사찰이기 때문에 당시 영천군수 김기철이 솔선하여 300 꿰미의 돈을 박봉에서 털어내 시주하였다. 또한 대구 감영과 서울 왕실의 시주가 계속 답지하여 수만 냥의 재원을 확보, 3년여의 불사 끝에 1849년헌종 15에는 그 중창 불사를 마무리 지을 수 있었다."
>
> 「팔공산은해사사적비八公山銀海寺事蹟碑」

이렇게 중수된 은해사 대웅전현.극락보전에는 특이하게도 흰쥐와 검은 쥐가 조각되어 있는데, 어떠한 의도에서 흰쥐와 검은 쥐를 대웅전에 조성했던 것일까.

불교에서 흰쥐 검은 쥐와 관련한 대표적 이야기는 '안수정등岸樹井藤'이다.

극락보전 흰쥐·검은 쥐

> 어떤 사람이 광야에서 놀다 사나운 코끼리한테 쫓겨 황급히 달아나는데 몸을 의지할 데가 없었다. 그러다가 우물과 그 곁의 나무뿌리를 발견하고는 그 나무뿌리를 잡고 내려가 우물 속에 몸을 숨겼다. 주변을 돌아보니 우물 사방에는 네 마리 독사가 그를 물려고 하고, 우물 바닥에는 독룡이 입을 벌리고 있었다. 사각거리는 소리에 위를 쳐다보니 흰쥐와 검은 쥐 두 마리가 그가 매달려 있는 나무뿌리를 번갈아 갉고 있었다. 놀라서 입을 버리자 마침 입 안으로 꿀이 한 방울씩 떨어졌다. 그 나무에 매달린 벌꿀 통으로부터 꿀이 떨어진 것이다. 그러자 그는 그 꿀 맛에 취해 모든 것을 잊어버렸다.
>
> 『불설비유경佛說比喩經』

불교적 은유가 많이 내포되어 있는 안수안등岸樹井藤 이야기 속에는 교훈 역시 다양하다.

'중생衆生'에 비유되는 나그네가 '무상無常'에 비유되는 코끼리에 쫓겨 '목숨'에 비유되는 나무뿌리를 붙잡고 있다. 나무뿌리를 잡은 채로 주변을 돌아보니 '4대[四大; 地水火風]'에 비유되는 네 마리의 독사와 '죽음'에 비유되는 독룡이 밑에서 사람을 노리고 있었다. 이를 본 사람은 독사와 독룡에게 물리지 않으려 더욱 나무뿌리를 강하게 붙잡았다.

하지만 '낮과 밤, 즉 세월'에 비유되는 흰쥐와 검은 쥐가 나무뿌리를 갉고 있었다. 그 광경을 보고 놀라 입을 벌리던 찰나 마침 '5욕[五慾; 재욕財慾 · 색욕色慾 · 식욕食慾 · 명욕名慾 · 수면욕睡眠慾]'에 비유되는 '벌꿀'이 입에 들어왔다. 벌꿀의 달콤함을 맛 본 나그네는 꿀맛에 눈이 멀어 자신이 처한 심각성을 모두 잊고 말았다는 이야기이다.

해인사 안수정등

이 이야기는 생사生死의 굴레에서 고통 받으면서도 세속의 욕망에 이끌려 고통의 고리를 끊을 생각조차 하지 못하는 무명無明과 망각에 살아가는 우리네 모습을 그려낸 불고적 교훈이 담겨있다. 안수정등의 이야기처럼 불교에서 흰쥐와 검은 쥐는 한 번 가면 다시는 돌아오지 않는 세월을 뜻한다.

지금의 은해사 극락보전은 19세기 중순에 조성되었다. 16세기 이후에 은해사는 줄곧 선승들이 머물렀고, 300여 년이 흐른 19세기 중순에도 은해사는 선찰의 역할을 다하고 있었다. 선승들이 머물렀던 은해사 대웅전현. 극락보전, 그것도 아미타불을 주불로 하는 대웅전에 흰쥐와 검은 쥐를 조성한 것은 선사들의 깊은 뜻이 숨어 있을 것이다.

불교에서 말하는 극락세계, 즉 정토淨土는 크게 두 가지로 나누어진다.

하나는 서방정토西方淨土이고, 다른 하나는 유심정토唯心淨土이다. 서방정토는 아미타부처님이 계신 세계를 말하는데 이는 대부분 사후세계의 극락을 말할 때 주로 언급되는 정토이다. 유심정토는 자신의 마음을 깨닫기만 한다면 지금 바로 이 자리가 극락이라고 하는 사상으로, 마음의 상태에 따라 극락의 여부가 결정된다.

선승들이 주로 머물렀던 은해사에서 흰쥐·검은 쥐를 조성한 까닭은 수행자에게 세월이 가고 있으니 시급히 용맹정진할 것을 다그치는 의미와 더불어 수행을 통해 자성의 아미타불을 찾아 유심정토를 이룩할 것을 당부하는 의미는 아닐까. 그런 의미에서 은해사 대웅전현.극락보전은 또 다른 의미의 정토 그 자체인 것이다.

은해사는 대대로 청허계 선승들이 많이 머물렀는데, 청허휴정淸虛休靜, 1520~1604 또한 아미타부처님을 서방이 아닌 내 마음에서 찾을 것을 당부하였다.

> 한 생각을 내지 않고 전후제前後際가 끊어지면 자성미타自性彌陀가 홀로 드러나고 자심정토自心淨土가 앞에 나타날 것이다.
>
> 『청허집淸虛集』

또한 19세기 후기, 은해사를 비롯한 산내 암자의 중건과 관련된 분이 계시니 징월정훈澄月正訓스님이다. 스님은 미타암에서 수행하는 자신의 마음이 곧 아미타부처님이니 밖에서 아미타부처님을 찾는 헛수고를 하지 말라 한다.

> 혹자가 묻기를 이제 다행히 새롭게 하였으니 원컨대 한마디 말을 주시어 훗날에 남기기를 바랍니다.

내가징월정훈 말하였다. 암자를 미타로 이름을 지었으니 자기 마음이 곧 미타요 미타가 곧 자기 마음이다. 무릇 암자에 거주하는 이가 자기 마음을 닦고 미타를 찾는다면 지연장로의 믿음과 서원의 은혜를 갚을 수 있을 것이다 어찌 꼭 공덕을 기록하여 자랑할 것이 있는가.

『징월대사시집澄月大師詩集』

이처럼 은해사 대웅전현 극락보전의 흰쥐와 검은 쥐는 시급히 수행에 정진하여 내 마음 안이 있는 아미타부처님을 찾으라는 옛 선지식들의 후학들을 가르침인 것이다.

그리고 동시에 속세에서 살아가는 우리에게는 시간에 쫓겨 진정한 나를 잊고 사는 것에 대한 경각심을 불러 일으키면서 진정한 행복의 의미를 찾아가길 바라는 선사들의 마음이 느껴진다.

오늘도 흰쥐와 검은 쥐는 은해사를 찾는 많은 이들에게 그 의미를 전달하고자 부지런히 움직이고 있다.

3. 환성사 전설에 담긴 수월관水月觀의 의미

환성사環城寺는 하양에 위치하고 있는 제10교구본사 은해사의 말사다. 환성사는 835년흥덕왕 10 심지왕사에 의해 창건되었다고 전해지며 사찰의 형세가 마치 산이 성城처럼 둘러싸고 있다 하여 환성사라는 이름이 붙었다 한다. 신라 때부터 이어져 오는 유서 깊은 환성사는 흥미로운 전설이 하나 전해진다.

환성사는 심지 왕사가 절을 짓고 난 후부터 갑자기 절이 번창하기 시작하여 하루에도 수백 명이 넘는 신도들이 드나들어 잠시도 한가한 날이 없었다고 한다. 절에서는 매일같이 수백 명이 넘는 사람들의 밥을 해 대려니 곡식이 많이 들 뿐만 아니라 취사에도 엄청난 숫자의 사람들이 동원되어야만 했다. 콩나물 반찬을 하려면 보통 시루로는 감당할 수가 없어 둘레가 수십 자나 되는 돌 시루를 만들어 콩나물을 해 먹이기도 했다고 한다.

고려 때, 이 절의 주지 이름은 전해지지 않으나 또 한 번 이 절에서 위대한 선사가 났으므로 사찰에서 이를 기념하기 위해 일주문을 세우고 대웅전 앞쪽에 큰 연못을 파 누각을 짓고 이름을 '수월관'이라 했다. 이는 달이 떠 연못에 비치는 광경을 수월관에서 보면 너무나 아름답기 때문에 지어진 것이라 한다.

이 선사가 수월관 앞의 연못을 보며, "만일 이 연못을 메우면 이 절의 불기가 쇠하리라." 하고 예언했기 때문에 역대 주지들이 이 연못을 소중히 관리했다고 한다.

「디지털경산문화대전」

이 전설이 시작된 시기와 사정에 대해서 정확히 알 수 없지만, 이야기를 곱씹다 보면 이야기 속 교훈과 당시 사정이 희미하게 드러난다.

환성사가 부흥하게 된 계기는 대웅전 앞쪽 큰 연못을 파고 곁에 '수월관水月觀'이라는 누각을 지었기 때문이다. 이를 익히 알아본 한 선사禪師는 "만일 이 연못을 메우면 이 절의 불기佛氣가 쇠하리라."라 하였다.

그렇다면 연못과 수월관은 불교적으로 어떠한 의미가 있기에 환성사의 번성과 관련 있는 것일까.

수월관水月觀이라는 의미는 달이 떠 연못에 비치는 광경이 아름다워서라고 전한다. 하지만 단순히 연못에 비친 달이 아름다워 수월관이라 한 것은 아니다. 불교에서는 불성佛性을 말할 때 종종 달의 비유를 들기 때문이다.

> 부처님께서 아난에게 말씀하였다. "너희들이 오히려 반연하는 마음으로 법을 들으므로 이 법도 또한 반연이라서 법성을 깨닫지 못하는 것이니라. 마치 어떤 사람이 손가락으로 달을 가리켜 저 사람에게 보이면, 저 사람은 이 손가락으로 인하여 달을 보아야 할 것이어늘, 만일 손가락을 보고 달이라 부른다면 그 사람은 달도 모르는 것일뿐만 아니라, 손가락까지도 모르는 것이다. 왜냐하면, 가리키는 손가락을 밝은 달이라 부르기 때문이다."

「능엄경楞嚴經」

전설 속 수월관 상상도

　달이 불성이자 진리로 해석된다면 그것을 비추고 드러내게 하는 물[水]은 곧 우리의 마음이다. 이처럼 수월관水月觀의 이름을 되새겨 보면, '마음으로 불성을 바라본다'는 의미로 수행 공간의 의미가 담겨있다.
　주변의 산이 성처럼 둘러싸고 있는 환성사는 오롯한 수행의 공간이었으며, 그 공간 안에 들어오는 많은 이들은 부처님과 인연을 맺어 불성을 볼 수 있는 곳이었다. 그러기에 대대로 환성사의 스님들은 자신들의 수행만이 아니라 많은 대중이 인연을 맺길 바랬고 그들이 스스로 불성을 깨닫길 원했기에 절의 흥성을 기원했다. 많은 이들이 환성사의 공간 안으로 들어오길 바라는 마음에서 거북바위나 수월관에 의미가 부여되었을 터다.

억불정책이 시행되던 조선시대에도 여전히 전설은 유효했고 불연이 있는 많은 이들이 환성사를 찾았다. 그럼에도 당시 향교와 서원이 무분별하게 세워지면서 기존의 사찰까지 그 성격을 바꾸어버릴 때, 환성사 역시 소속 변경이 되었거나 향교·서원과 대립이 있었던 것 같다.

1553년명종 8 정몽주를 추모하기 위해 세워진 임고서원臨皐書院에 속하기도 하고, 1580년선조 13 세워진 하양향교河陽鄕校에 환성사를 소속시켜야 한다는 박서봉朴瑞鳳과 황윤중黃允中의 끊임없는 상소가 있어 숙종은 이를 허락할 수밖에 없었다. 특히 임고서원에서 작성한 『환성사결입안環城寺決立案』에서는 임고서원과 하양河陽 환성사, 공산公山 운부사雲浮寺, 의흥義興 인각사麟角寺, 영천永川 성혈사聖穴寺, 정각사와의 분쟁을 기록하고 있어 대립관계였음이 드러난다.

뿐만 아니라 임고서원의 『임고서원전곡집물범례등록臨皐書院錢穀什物凡例謄錄』에는 위의 5개 사찰의 종이紙와 토지에 대한 세금地稅, 전답 등을 상세히 기록하고 있다. 이는 임고서원 측이 사찰 경제권을 확보하려는 시도가 있었던 것으로 볼 수 있으며, 이로 인한 대립 양상은 더욱 극대화되었을 것이다.

여기서 다시 환성사에 얽힌 전설의 뒷이야기를 마저 살펴보자.

> 조선 초에 국가가 불교를 심하게 억압했으나 환성사만은 하루도 신도가 끊이지 않았다고 한다.
> 이때 환성사의 주지는 젊어서는 큰 덕으로 불자들의 숭앙을 받았으나 늙어서는 게으름이 늘어 신도들이 많은 것을 귀찮게 여겼다. 곰곰이 생각한 끝에 사람을 시켜 절 입구에 있는 거북바위의 목을 자르게 했다.

거북바위의 목을 정으로 깨뜨리니 갑자기 연못의 물이 붉게 변하였는데 이것을 구경하려는 사람들로 절이 오히려 더 소란해졌다고 한다.

그러던 어느 날 한 거지 같은 객승이 찾아와 묵고 가기를 청하자 주지는 이를 귀찮게 여기며 구석진 골방을 주고 음식 접대도 제대로 하지 않았다.

이튿날 객승이 절을 떠나면서 "이 절에 사람이 많은 것은 저 연못 때문이니 저것을 메우시오." 라고 말했다. 주지는 이 말을 듣고 즉시 마을 사람들을 불러 연못을 메우려고 했다.

그런데 흙을 한 삽 퍼붓자 갑자기 연못 속에서 금송아지 한 마리가 날아오르더니 슬피 울고는 산 너머 동화사 쪽으로 날아갔다 한다.

겁을 먹은 동네 사람들이 더 이상 일을 하지 않으려 하자 주지는 기어이 절의 사람들을 동원해 연못을 메우게 했다. 꼬박 백 일이 걸려 연못을 메우고 마지막 한 삽 흙을 퍼붓자 갑자기 온 절에 불이 붙기 시작하였다. 불은 그 웅장하던 건물들을 모조리 태웠고 대웅전과 수월관만 겨우 남게 되었다.

그 이후로는 절에 사람들의 발길이 끊어지고 말았다고 한다. 지금은 당시에 남은 건물들이 보물로 지정되고 또 현재의 주지가 원형을 잘 보존하기 위해 많은 노력을 기울인 결과 사찰이 새롭게 부흥하게 되었다. 그리고 신도들의 발길 또한 눈에 띄게 늘어나면서 환성사는 영험이 있는 사찰로 알려지게 되었다.

「디지털경산문화대전」

조선 초 이후의 전설 내용은 참으로 묘한 구석이 있다. 오롯한 수행의 공간이면서 많은 이들이 불연을 맺길 바랬던 환성사가 아닌가. 그런데 갑자기 게으른 노승이 등장하더니 함부로 거북바위의 목을 자르는 내용이 나온다. 제 아무리 수행에 게으른 승려라 할 지라도 절의 창건과 유관한 거북바위의 목을 쳐 낼 이는 없을 것이다. 뿐만 아니라 연못 속 금송아지가 날아가버리는 장면은 의아함을 더한다. 불교에서 '소'는 심우도尋牛圖나 보조지눌스님이 스스로를 '목우자牧牛子'라 불렀던 것처럼 수행을 상징한다. 그런데 갑자기 '금송아지'가 등장하니 어리둥절하게 만들 뿐이다.

임고서원과 분쟁이 있었던 사찰 중 하나인 환성사의 전설 뒷부분은 불교를 어설프게 알고 있던 지장서원 소속의 인물이 꾸며낸 그럴듯한 이야기가 아닌지 의심하게 만드는 요소들이 다분하다.

과거의 전설 속에는 상징적인 부분이 있고, 이를 찾는 것에 큰 의미가 있다. 그러나 의도가 담긴 전설을 받아들일 때 반드시 신중함을 갖추어야 함을 보여주는 사례인 듯하다.

금송아지가 아닌 소의 모습처럼 수행하는 마음으로, 그래서 얻은 혜안慧眼으로 이 전설을 다시 다주해 볼 수 있길 바라며 환성사로 발길을 옮겨 보자.

가람유사 _ 은해사편
참고문헌

프롤로그. 하늘과 산천이 어루려져 부처의 바다를 세우다

『제왕운기』

1. 하늘은 산에 내리고, 산은 땅을 보듬어 안고
『삼국사기』

『삼국유사』

제1장 중악中岳 공산公山에 새긴 자비의 서원, 해안사海眼寺

1. 약사여래부처님을 끌어안은 중악中岳 공산公山
『삼국사기』

『삼국유사』

최홍조2004, 「신라 애장왕대의 정치변동과 김언승」, 『한국고대연구』 34, 한국고대사학회

정성준1993, 「신라 약사신앙 연구」, 『불교대학원논집』 1, 동국대학교 불교대학원

허형욱2021, 「신라 약사신앙의 전개양상과 그 특징」, 『신라문화』 59, 동국대학교 WISE캠퍼스 신라문화연구소

정병삼2013, 「신라 약사신앙의 성격: 교리적 해석과 신앙활동」, 『불교연구』 39, 한국불교연구원

최진구2013, 「신라 오악과 불교의 산신신앙 연구」, 『신라문화』 42, 동국대학교 WISE캠퍼스 신라문화연구소

윤용혁1989, 「몽고의 경상도 침입과 1254년 상주산성의 승첩 – 고려 대몽항전의 對蒙抗戰 지역별 검토 2 –」, 『진단학보』 68, 진단학회

2. '해안海眼'에 담은 서원

『삼국사기』

『삼국유사』

「팔공산은해사사적기」

『대방광불화엄경』

「곡성 대안사 적인선사탑비」

제2장 부처님 세계[佛世界海]가 펼쳐진 공산公山

1. 산 자에게 행복을, 죽은 자에게 왕생을

『동국이상국집』

장일규2010, 「신라 하대 서남해안 일대 선종산문의 정토신앙과 장보고의 법화신앙」, 『신라사학보』 18, 신라사학회

한보광1998, 「신라의 삼국통일과 정토신앙」, 『정토학연구』 1, 한국정토학회

이동형2023, 「신라불교 정토관의 전개와 밀교의 상관성 고찰」, 『한국교수불자연합학회지』 29-2, 사단법인한국교수불자연합회

2. 공산에서 움튼 정혜결사

『권수정혜결사문』

『고려사절요』

김방룡2017, 「『원돈성불론』과 『간화결의론』에 나타난 지눌의 선교관」, 『선학』 47, 한국선학회

『조선불교월보』

『대방광불화엄경』

3. 중생불국의 염원을 담은 공산公山

「보각국사비명」

제3장 불은佛恩의 묘법해, 은해사銀海寺로 자리잡다

1. 왕실은 불은佛恩에 가피를 구하고; 인종 태실을 품고 공산본사公山本寺가 되다

『조선왕조실록』

2. 해안海眼의 뜻을 이어받아 은해銀海로 나아가다

「은해사연혁변」

문화재청2015, 『현황조사 보고서대구광역시, 경상북도 下편』

「이탄지묘지명」

3. 은해사, 왕실 수호로 재부흥을 이루다

『조선왕조실록』

손성필2018, 「조선시대 불교정책의 실제: 승정체제, 사찰, 승도에 대한 정책의 성격과 변천」, 『한국문화』 83, 서울대학교 규장각한국학연구원

김상현2010, 「문정왕후 불교중흥정책」, 『한국불교학』 56, 한국불교학회

김정희2015, 「조선시대 왕실불사의 재원」, 『강좌미술사』 45, 한국불교미술사학회

손성필2013, 「조선 중종대 불교정책의 전개와 성격」, 『한국사상사학』 44, 한국사상사학회

한춘순1998, 「명종대 을사사화 연구」, 『인문학연구』 2, 경희대학교 인문학연구소

한춘순1999, 「명종대 왕실의 내수사 운용」, 『인문학연구』 3, 경희대학교 인문학연구소

「영천군 은해사 사적」

「순영제음」

『태재선생문집』「운부사」

『가산고』「석담대사상찬」

『함홍당집』「근차백홍암판상운」

신병주2009, 「조선왕실에서 태실을 조성한 까닭」, 『선비문화』 16, 남명학연구원

최호림1985, 「조선시대 태실에 관한 일연구」, 『한국학논집』 7, 한양대학교 한국학연구소

탁효정2004, 「조선 후기 왕실원당의 사회적 기능」, 『청계사학』 19, 청계사학회

제4장 숭유억불崇儒抑佛을 넘어
    화엄강학의 선찰禪刹로 우뚝서다

1. 운부암, 화엄강학華嚴講學의 시발점이 되다
『화엄품목문목관절도』

『산중일기』

2. 영파성규, 은해사에 화엄강학을 꽃피우다
『조선왕조실록』

3. 숭유억불을 넘어 선찰禪刹의 향기를 품고 우뚝서다
『백암정토찬栢庵淨土讚』

제5장 1200년 묘법해妙法海에 깃든 극락세계를 찾아서

1. 칠세부모의 극락왕생을 기원하다
「순영제음」

이종숙2007, 「조선 후기 국장용 모란병의 사용과 그 의미」, 『국립고궁박물관』1, 고궁문화

『석문의범』

2. 은해사 괘불탱화, 나라의 안녕을 소원하다: 모란꽃비로 장엄한 부처님 세계

『관무량수경』

『아미타경요해』

「순영제음」

고승희2013, 「조선 후기 불교회화와 민화의 모란화 비교 연구」『강좌미술사』41, 한국불교미술사학회한국미술사연구소

국립대구박물관2022, 『영남의 명찰순례Ⅱ: 팔공산 은해사』

성보문화재연구원2020, 『대형 불화 정밀조사 보고서: 은해사괘불탱』, 문화재청

송경화설송2022, 『조선 후기 아미타불화의 정토사상 연구』, 위덕대학교 박사학위논문

이수진2011, 『조선시대 궁중화의 현대적 활용을 위한 방안 연구』, 홍익대학교 석사학위논문

이종숙2007, 「조선 후기 국장용 모란병의 사용과 그 의미」, 『국립고궁박물관』1, 고궁문화, 2007

3. 또 하나의 극락세계, 태실수호사찰 백흥암

『조선왕조실록』

「완문」

「백흥암중흥유공기」

최호림1985, 「조선시대 태실에 관한 일연구」, 『한국학논집』7, 한양대학교 한국학연구소

『함홍당집』

『유마힐소설경』

『조선왕조실록』

「백흥암극락전단확공덕기」

「백흥암중창기」

문화재청2013, 『영천 은해사 백흥암 극락전: 정밀실측보사보고서』

신광희2017, 「불전의 장엄-은해사 백흥암 극락전 상벽 나한도-」, 『문학역학철학』 51, 한국불교사연구소

신광희2017, 「한국의 나한도 읽기 8 불전佛殿의 장엄莊嚴 — 은해사 백흥암 극락전 상벽 나한도 —」, 『문학/사학/철학』 51, 한국불교사연구소

정귀선2018, 『조선 후기 불단 연구: 경상도지역 장엄불단을 중심으로』, 경주대학교 박사학위논문

조에스더2014, 「조선 왕조 후반기에 어해도의 상징성 연구」, 『장서각』 31, 한국학중앙연구원

『이아』

서정남2018, 「은해사백흥암」, 『한국선학』 51, 한국선학회

유이화2019, 「百興庵 극락전 須彌壇에 관한 연구」, 능인대학원대학교 석사학위논문

이재중2020, 『麒麟圖像 研究』, 대구카톨릭대학교 박사학위논문

정귀선2013, 「은해사 백흥암 극락전 수미단 연구」, 『한국민화』 4, 한국민화학회

『모시정의』

『상촌선생집』

『양촌집』

『상촌고』

제6장 은해사가 품고 있는 암자 이야기

1. 운부암, 묘법해를 일구었던 선지식들의 수행도량
『태재집』
「팔공산은해사사적비」

2. 우리네 모습이 담겨있는 오백나한 도량, 거조사
『현행서방경』

4. 영험한 수행도량이자 산신山神터, 묘봉암
『가산고』

5. 바위틈 사이를 지나 중암암 이야기 속으로
『삼국사기』

제7장 은해사 고승전

1. 경산삼성慶山三聖과 은해사
『삼국유사』
『삼국사기』
『경상도읍지』
「홍유후실기목록」

2. 영파성규影坡聖奎, 은해사에 화엄을 펼치다

「은해사영파대사비」

『동사열전』

3. 운봉성수雲峰性粹, 은해사에서 출가 발심하여 근대 선지식이 되다

『운봉선사 법어』

4. 동곡당 일타東谷堂 日陀, 율도량을 꿈꾸다

일타스님2000, 「계율을 지켜야 불교가 산다」, 『일타화상수월명』, 불교시대사

신규탁 외 5명2016, 『동아시아의 선, 그리고 동곡 일타스님』, 한국불교학회 추계 학술대회

「은해사 율도장으로 거듭 탄생」, 불교신문, 1994

5. 육문六文스님, 원력으로 비구니 전문 수행도량을 일구다

「[새해특집] 전국비구니회 11대 회장 육문 스님」, 법보신문, 2015

「[부처님 오신 날 기획] 군위 법주사 육문스님 대담」, 경북일보, 2019

김영옥1997, 「은해사 백흥암 육문스님」, 『월간해인』183, 해인사

6. 성철스님과 향곡스님의 운부암 인연이야기

『벽암록』

김선주2023, 「구름위에 뜬 조사도량 운부암」, 『월간해인』495, 해인사

「은해사 운부암 선원 '운부난야' 개원」, 불교신문, 1998

「〈암자로 가는 길〉경북 영천 운부암」 중앙일보, 1996

제8장 은해사에 가야만 들을 수 있는 이야기

1. 은해사 향나무 전설이 품은 불교적 의미
『광찬경』
『아비달마구사론』

2. 흰쥐, 검은 쥐가 더웅전現. 극락보전으로 숨어든 이유
『불설비유경』
『징월대사시집』
『청허집』
「은해사중건기」
이동은2020, 「칼릴라와 딤나와 불교설화 비교연구-'우물에 빠진 사나이'이야기와 안수정등樹井藤 설화를 중심으로」, 『중동문제연구』, 명지대학교 중동문제연구소

3. 환성사 전설에 담긴 수월관水月觀의 의미
『능엄경』

{ EPILOGUE }

시간, 공간
그리고 사람을 기억하다

은해사는 1,200여 년 전인 통일신라 때 창건되어 지금에 이르고 있다. 천년이 넘는 고찰 은해사는 세월에 따라 많은 변천을 겪어왔다. 하지만 '변천 가운데도 변하지 않는 은해사만의 핵심 가치는 무엇일까?', 이 책을 준비하면서 집필진들이 끝까지 붙잡고 있었던 화두였다.

이 수수께끼를 풀기 위해 먼저 해안사現 은해가 창건되었을 당시 시대상을 추적하는 것을 시작으로 은해사 사료들에 남아 있는 단서들을 면밀히 분석하며 앞서 말한 질문에 답하고자 노력하였다. 그러한 과정에서 은해사와 산내 암자들 간의 깊은 연계성을 발견하였고, 이에 '가람유사 은해사 첫 번째 편'에 산내 암자들의 이야기 또한 함께 구성하여 녹여내기로 하였다.

은해사가 처음 창건되었을 당시는 지금의 터가 아닌 은해사 산내 암자인 운부암 밑 해안평이라고 불리던 곳에 창건되었다. 그리고 창건 당시 이름은 해안사였다. 사찰이 오랜 세월을 지내다 보면 여러 이유로 사세寺勢가 쇠할 때도 있다. 하지만 이내 중창·중건하여 법등法燈을 이어간다. 중창·중건은 보통 그 사찰이 있었던 터에 하는 것이 일반적이다. 하지만 은해사는 해안평이 아니라 지금의 은해사 터로 이건移建하여 중건되었는데, 이 실마리를 푸는 것이 집필진들의 첫 번째 과제였다.

{ 에필로그 Epilogue }

해안사 창건 당시의 상황을 알아내기 위해 제일 먼저 소화해야 했던 조사 일정은 팔공산 서봉의 '마애약사여래좌상'과 동봉의 '마애약사여래입상'을 직접 친견하여 약간의 실마리라도 잡아보는 것이었다. 왜냐하면 서봉의 '마애약사여래좌상'과 동봉의 '마애약사여래입상'의 조성 시기와 해안사가 창건되었던 시기가 서로 비슷하기 때문이다. 팔공산에 케이블이 설치되었다. 하지만 서봉의 '마애약사여래좌상'과 동봉의 '마애약사여래입상'을 뵙는데 까지는 약 1시간 정도의 등산이 필요했다. 조사는 7월과 8월로 총 두 차례 이루어졌다. 무더운 여름 한가운데이니만큼 단단히 마음을 먹고 조사에 나섰다. 하지만 복병은 따로 있었다. 서봉의 '마애약사여래좌상'과 동봉의 '마애약사여래입상'을 찾기 뵙기 전 원효스님이 깨달음을 얻었다는 '오도암'에 잠시 들려 집필에 필요한 조사를 우선하기로 했는데, 오도암에 이르는 계단이 너무 많아 서봉과 동봉의 부처님을 찾아뵈어 실가리를 잡아보기도 전에 진이 다 빠졌던 기억을 잊을 수 없다.

은해사와 더불어 산내 암자들도 함께 조사하기로 하면서 모든 산내 암자들을 빠짐없이 방문 조사하였다. 그중에서도 백흥암 방문은 조금 더 특별한 기억으로 남아있다. 백흥암은 비구니 스님들의 수행처로 수미단須彌壇이 아름답기로 유명한 암자이다. 특히 백흥암은 일반인들의 출입이 철저히 제한되어 있어 암자 내로 들어서는 것만으로도 설레면서도 떨리는 일이었다. 백흥암의 수문장이라 할 수 있는 보화루를 지나 암자 내로 들어섰을 때 스님들의 용맹정진했던 기운이 느껴져 한참을 다 같이 감탄했던 감동이 지금도 잊혀지지 않는다.

은해사를 집필하는 과정에서 가장 쉽지 않았던 것은 문헌적 기록이 부족했다는 점과 그나마 남아 있는 기록들마저도 특정 사안에 대해 서로 다르게 기록하고 있었다는 점이다. 이러한 이유 때문에 조사 과정에서 일일이 당시 주변 상황들과 인물 그리고 사물들을 꼼꼼히 비교해야만 했다. 이 과정에서 집필진들 간에 많은 토론이 있었고 그 결과 글의 방향성이 아예 바뀌는 경우도 심심치 않게 있었다. 이처럼 많은 고민과 시행착오를 겪으며 써 내려간 글이기에 원고를 마무리하는 단계에 와 있는 지금 감회가 새롭지 않을 수 없다.

이 책은 은해사를 조금은 먼 발치에서 바라보며 은해사가 겪었던 역사적 변천과 흐름을 조사·집필한 것이다. 그리고 그 과정에서 보이는 서사를 살핌으로써 은해사 만의 정체성과 가치를 찾아 집필하였다. 달리 말한다면 이 책은 은해사를 소개하는 첫 발의 성격을 가지고 있는 것이다. 앞으로 은해사와 더불어 은해사 말사들과 관련한 인물, 사물, 설화 등을 보다 정밀하게 조사하여 그 안에 숨어 있는 이야기를 최대한 쉽고 현대의 감성으로 소개할 예정이다.

동국대학교 WISE 캠퍼스 100주년기념관 4층 불교사회문화연구원에서 조사 및 집필에 참여한 13명이 둘러앉아 후일담을 기약하면서 글을 마친다.

집필에 참여한 혜성스님과 김은령선생님, 그리고 지금 이 순간에도 조사하면서 있었던 에피소드를 상기된 얼굴로 이야기하고 있는 석보원, 박병천, 나의진, 진정스님, 김병진, 김성우, 박일도, 박종도와 1년 여의 동지애를 다시금 느끼며 펜을 놓는다.

동국대학교 WISE캠퍼스 100주년기념관 4층 불교사회문화연구원에서
조사집필자를 대표하여 김종용

가람유사
은해사 I

초판 1쇄 2024년 3월 29일 발행

엮은이 동국대학교 WISE캠퍼스 불교사회문화연구원
글쓴이 석길암, 한지연, 김종용, 김보완혜성, 김은령
일러스트 류진주, 이가현
펴낸이 박기련
펴낸곳 동국대학교 출판문화원

출판등록 제2020_000110호(2020. 7. 9)
주소 04620 서울시 중구 퇴계로36길 2 신관1층 105호
전화 02_2264_4714
전송 02_2268_7851
Homepage http://dgpress.dongguk.edu
E_mail abook@jeongjincorp.com

디자인 페이퍼붓다_김선주
제작 신도인쇄

ISBN 979-11-91670-59-2 (04220)

ⓒ 2024, 이 책의 저작권은 동국대학교 출판문화원에 있습니다.
ⓒ 이 책에 경주시(서체)의 신라문화체와 마포구의 Mapo 꽃섬(김민정), Mapo금빛나루(마기찬)가 사용되었습니다.

※잘못 만들어진 책은 구입처에서 교환 가능합니다.